D1190335

ALIX GARIN

ne m'oublie pas

LE LOMBARD
BRUXELLES

À Grand-père et Mamycha.

« S'annuleront subitement les milliers de mots qui ont servi à nommer les choses, les visages des gens, les actes et les sentiments, ordonné le monde, fait battre le cœur et mouiller le sexe. »

Annie Ernaux,
Les Années, Gallimard, 2008.

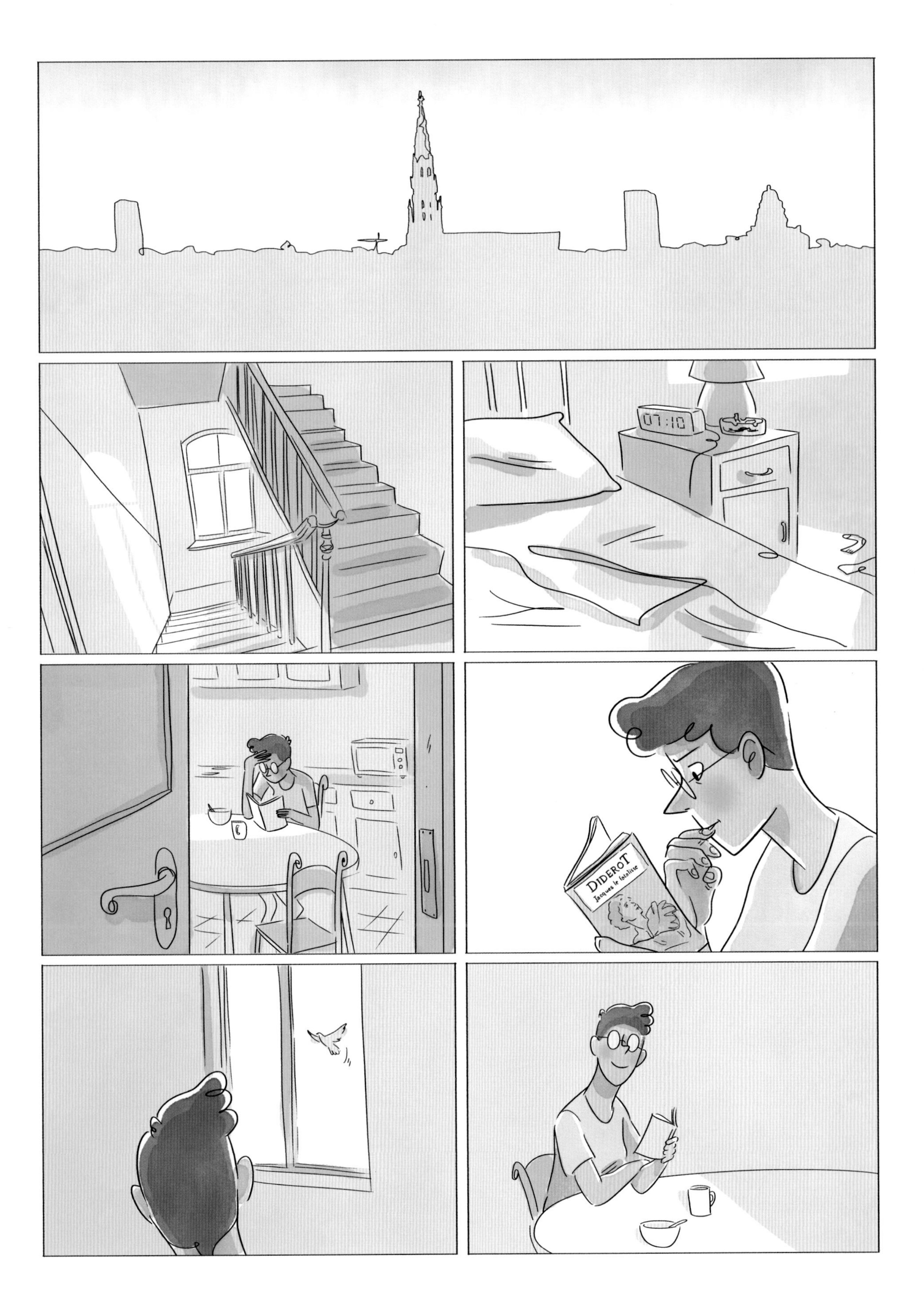
07:10
DIDEROT
Jacques le fataliste

CYRANO
DE BERGERAC
CARTON PLEIN POUR TROUPE DU CÈDRE
C'EST QUE, FAUTE DE SAVOIR CE QUI EST ÉCRIT LÀ-HAUT...
ON NE SAIT NI CE QU'ON VEUT NI CE QU'ON FAIT...
ET QU'ON SUIT SA FANTAISIE QU'ON APPELLE RAISON...
OU SA RAISON QUI N'EST SOUVENT QU'UNE DANGEREUSE FANTAISIE...
QUI TOURNE TANTÔT BIEN...
TANTÔT MAL.

Août
Dans 103 jours, le 19 août
concours entrée
école nationale
théâtre
ENCORE.

Maman
Mamy a fugué.
Rejoins-moi à
la maison de retraite.

C'EST LA TROISIÈME FUGUE.

IL N'Y AURA PAS DE QUATRIÈME.

LA RÉSIDENCE A DES RESPONSABILITÉS ET DANS CE CADRE, NOUS DEVONS ALLER AU-DELÀ DE CE QUI AVAIT DÉJÀ ÉTÉ MIS EN PLACE...
... ET PRENDRE LES MESURES QUI S'IMPOSENT.

SANS QUOI, ELLE NE POURRA PAS RESTER CHEZ NOUS.

QU'EST-CE QUE VOUS PROPOSEZ ?

UN TRAITEMENT CHIMIQUE DOUX, CALMANT. QUELQUE CHOSE QUI L'APAISERA, QUI LA DÉTOURNERA DE SON OBSESSION DE S'ÉCHAPPER.

UNE CAMISOLE CHIMIQUE ?

CE N'EST PAS LE TERME EXACT MAIS LE PRINCIPE EST LE MÊME.

IL FAUT VOUS RENDRE COMPTE À QUEL POINT ELLE SE MET EN DANGER LORSQU'ELLE S'ÉCHAPPE...

SON ÉTAT MENTAL LA REND EXTRÊMEMENT VULNÉRABLE. C'EST UN MIRACLE QU'IL NE LUI SOIT RIEN ARRIVÉ JUSQU'À PRÉSENT.

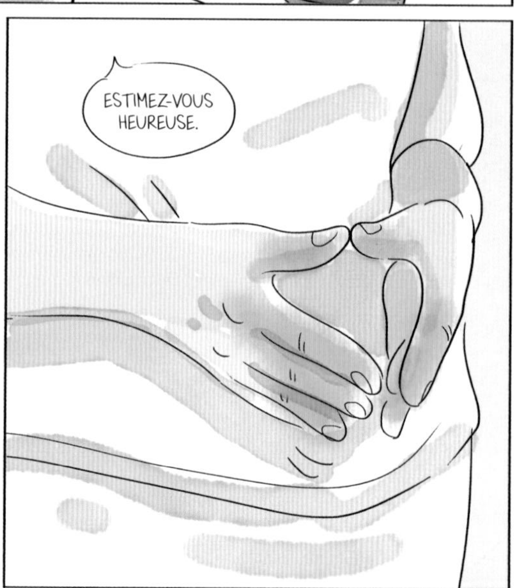
ESTIMEZ-VOUS HEUREUSE.

À MOINS QUE VOUS PRÉFÉRIEZ LA REPRENDRE CHEZ VOUS ?

C'EST UNE CHARGE TRÈS LOURDE, VOUS EN AVEZ FAIT L'EXPÉRIENCE.

MAINTENANT VOUS DEVEZ NOUS FAIRE CONFIANCE. NOUS SOMMES LÀ POUR QUE MARIE-LOUISE AILLE BIEN.

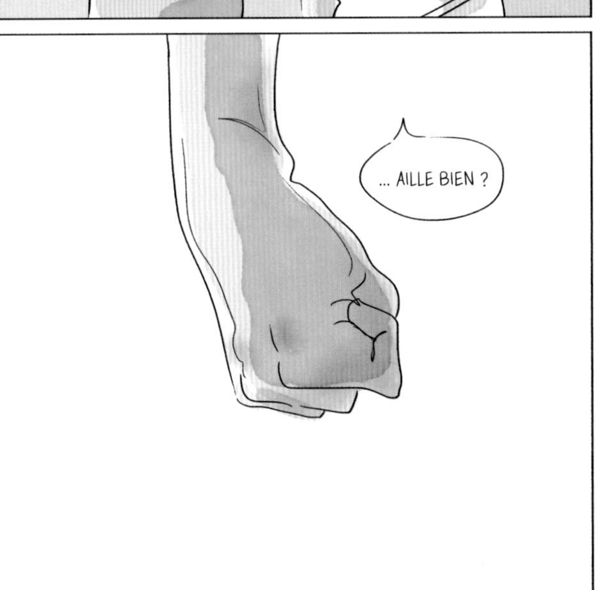
... AILLE BIEN ?

QUAND L'AVEZ-VOUS LAVÉE POUR LA DERNIÈRE FOIS ?
QUAND L'AVEZ-VOUS ENCORE AIDÉE À MANGER ?
ARRÊTE, CLÉMENCE.

JE VOUS ACCOMPAGNE AU BUREAU.

COMMENT PEUX-TU...

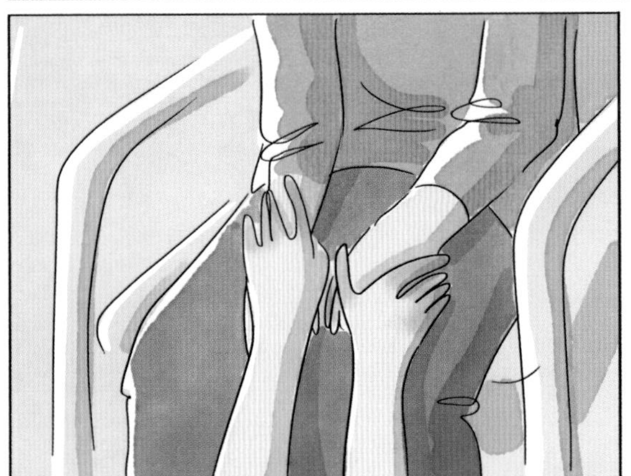

QUE SE PASSE-T-IL ?

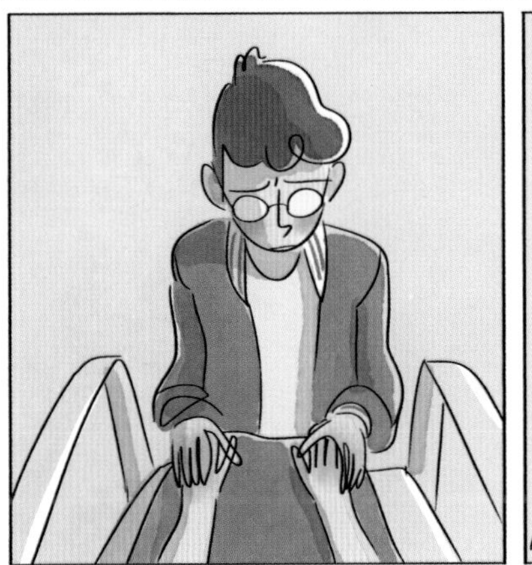

POURQUOI T'AS FAIT ÇA, MAMY ?

JE NE PEUX PAS RESTER ICI, PAPA ET MAMAN DOIVENT ÊTRE MORTS D'INQUIÉTUDE, ILS M'ATTENDENT !

POURQUOI EST-CE QU'ON ME RETIENT ? JE N'AIME PAS, JE N'AI RIEN FAIT DE MAL POURTANT...

MOI NON PLUS JE N'AIME PAS...
ALORS AIDE-MOI, JE N'AI QU'À PARTIR AVEC TOI !

C'EST IMPOSSIBLE, MAMY... JE VIENDRAI TE VOIR DEMAIN, PROMIS.

SI JE RESTE ENCORE ICI, JE VAIS ME JETER DANS LA MEUSE.

À DEMAIN, MAMY.

COMMENT TU PEUX
FAIRE ÇA ? POURQUOI ?

SI TU TRAVAILLAIS
PAS AUTANT,
ON AURAIT PU LA GARDER
À LA MAISON AVEC NOUS.

ARRÊTE, CLEM,
TU SAIS QUE
C'EST FAUX.

SI GRAND-PÈRE
ÉTAIT ENCORE LÀ...

ARRÊTE, ELLE A RAISON
DANS LE FOND !
SI MAMY SE BLESSAIT,
LA SITUATION SERAIT
PIRE ENCORE !

MAIS... ET SA DIGNITÉ
DANS TOUT ÇA ?

T'ES MÉDECIN,
FAIS QUELQUE CHOSE !

SI C'ÉTAIT MOI, JE...
JE...

JE SAIS QUE C'EST DUR, MAIS C'EST LA SEULE SOLUTION.

RADIO ON

BLA BLA BLA BLA BLA BLA BLA BLA BLA BLA BLA BLA BLA BLA
BLA BLA BLA BLA BLA BLA BLA BLA BLA BLA BLA BLA BLA BLA BLA BLA BLA BLA BLA
BLA BLA BLA BLA BLA BLA BLA BLA BLA BLA BL
BLA BLA BLA BLA BLA BLA BLA BLA BLA BLA
BLA BLA BLA BLA BLA BLA BLA BLA BLA BLA
BLA BLA BLA BLA BLA BLA BLA BLA BLA
BLA BLA BLA BLA BLA BLA BLA BLA BLA
BLA BLA BLA BLA BLA BLA BLA BLA BLA

OÙ ON VA ?

À LA MAISON DE MAMY. IL COMMENCE À FAIRE CHAUD...

IL FAUT LUI APPORTER SES VÊTEMENTS D'ÉTÉ À LA MAISON DE RETRAITE.

C'EST UN PIC, C'EST UN CAP, QUE DIS-JE, C'EST UNE PÉNINSULE !

MAMY NE PENSE PLUS JAMAIS
À CETTE MAISON QU'ILS ONT
FAIT CONSTRUIRE,
GRAND-PÈRE ET ELLE.

MAIS JE NE VEUX PAS CROIRE QU'ELLE L'AIT OUBLIÉE.
C'EST TON ONCLE QUI A FAIT ÇA, QUAND GRAND-PÈRE ÉTAIT ENCORE À L'HÔPITAL.

C'EST JUSTE QU'EN CE MOMENT, DANS SA TÊTE ELLE A 20 ANS ET VIT CHEZ SES PARENTS...
ON N'EST PRESQUE PAS VENUS DEPUIS, ALORS...

... DANS LA MAISON DE SON ENFANCE, OÙ ILS L'ATTENDENT. C'EST SON OBSESSION.

MOI, LA MAISON DE MON ENFANCE, C'EST CELLE-CI...

EST-CE QUE MOI AUSSI, QUAND JE SERAI VIEILLE ET MALADE, JE VOUDRAI REVENIR ICI ?

CLÉMENCE,
ON PART.
MAMY NE REVIENDRA JAMAIS.

– Chambre 204 –
Mme Marie-Louise
Delbroek

TOC TOC

LE PROBLÈME DE MAMY, C'EST QUE PHYSIQUEMENT, ELLE EST EN FORME...

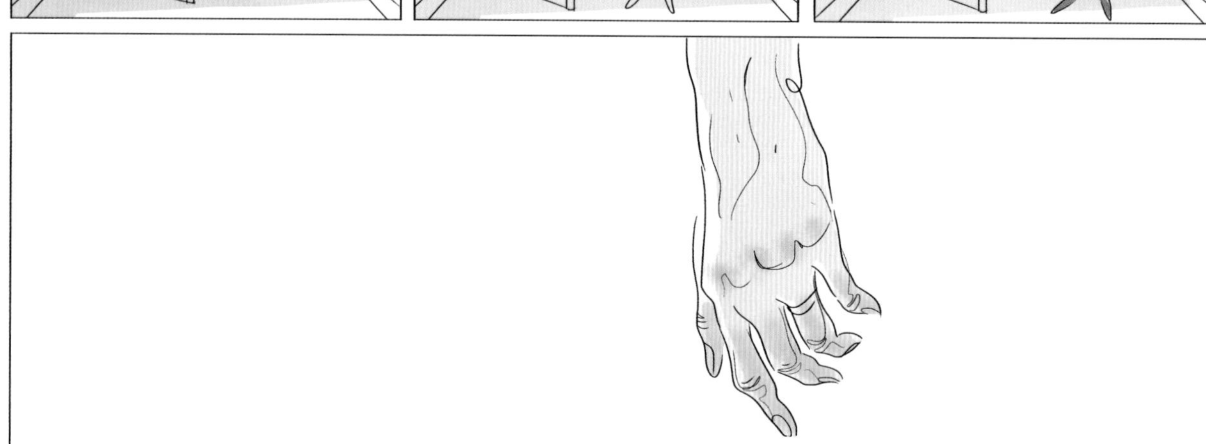

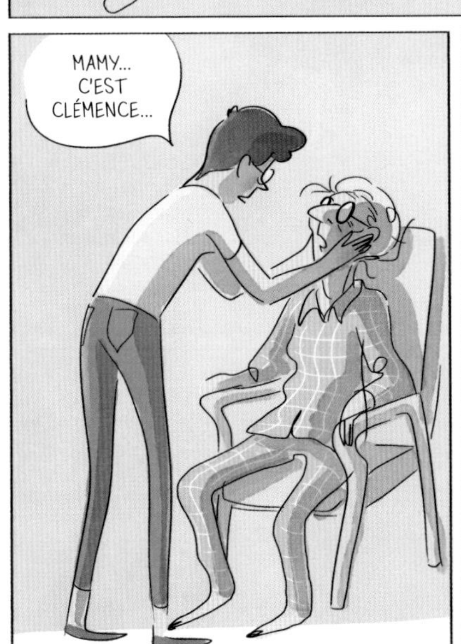
MAMY... C'EST CLÉMENCE...

TU SAIS, IL FAIT UN TEMPS MAGNIFIQUE DEHORS...

C'EST TON PRÉFÉRÉ...
ON VA TE LE METTRE.

ARRÊTE, MAMY,
LAISSE-MOI !

REVIENS QUAND TU VEUX, HEIN !
OUAIS.

SOIS PRUDENTE !

APPELLE-MOI SI TU AS BESOIN !

KOF

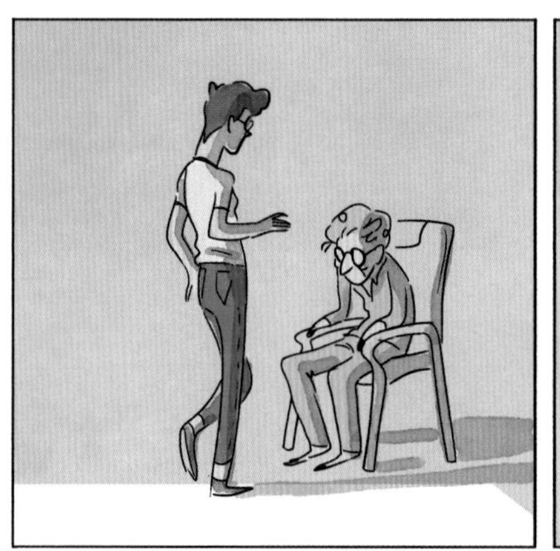

CET ENDROIT
EST LE PIRE ENDROIT
AU MONDE.

ELLE N'EN SORTIRA
JAMAIS VIVANTE.

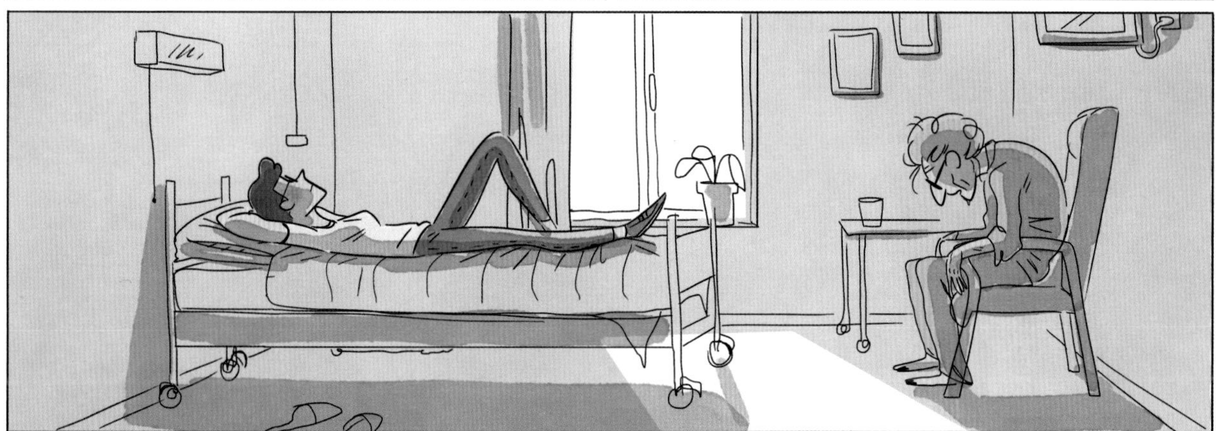

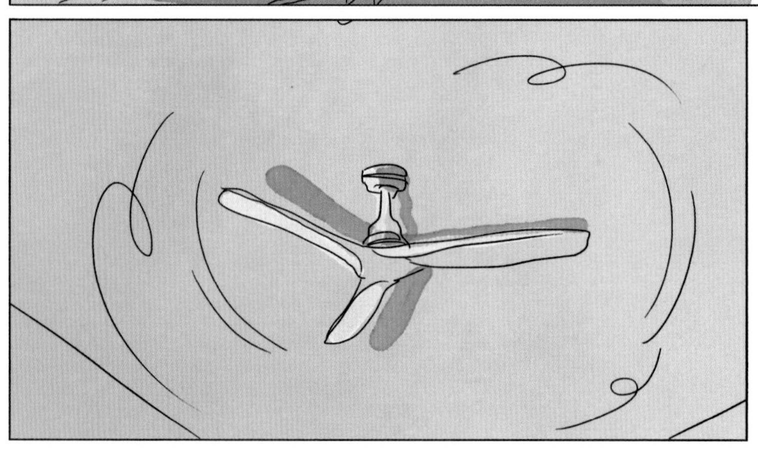

HÉ, MAMY, SI ON PARTAIT
FAIRE UN PETIT TOUR ?

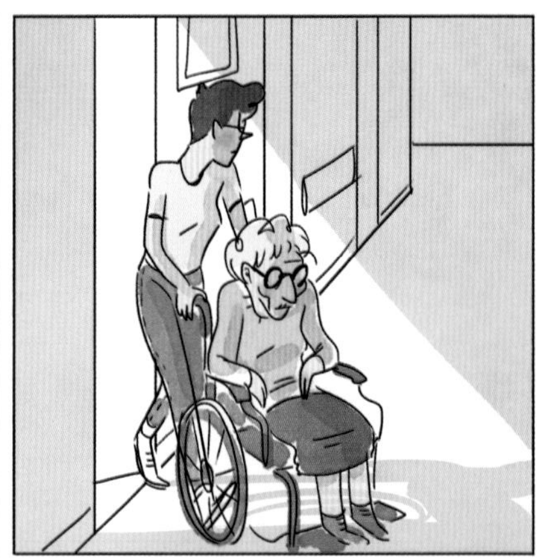

EXCUSEZ-MOI ?
PUIS-JE SAVOIR
OÙ VOUS L'EMMENEZ ?

JUSTE PRENDRE L'AIR,
PROFITER DU SOLEIL...

AH, TRÈS
BIEN.

TU LA RECONNAIS, HEIN, MAMY, C'EST LA VOITURE DE GRAND-PÈRE !

OH PUTAIN...

VROOOOOM

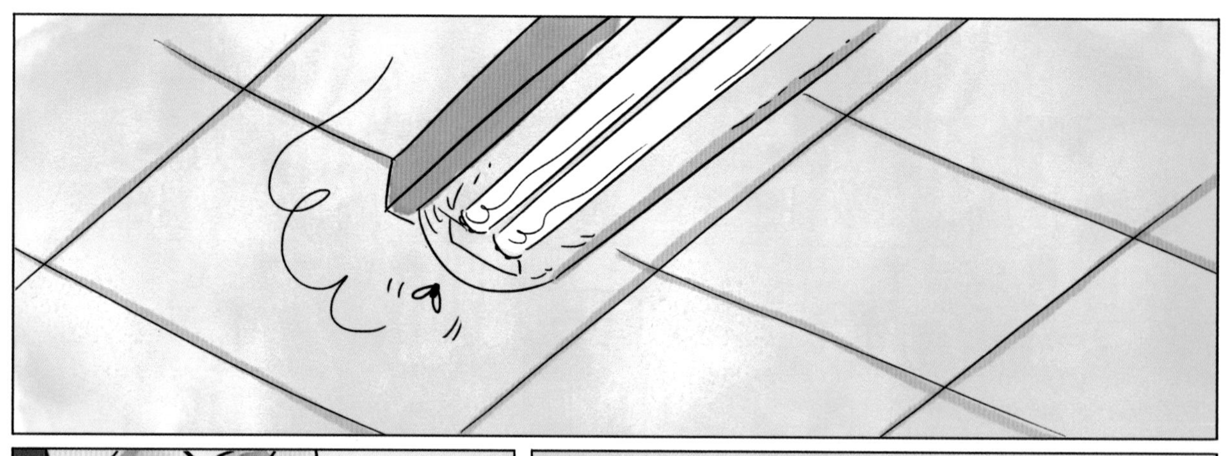

BON, À PARTIR DE MAINTENANT VOUS ALLEZ DEVOIR NOUS DONNER LES MOINDRES DÉTAILS DE VOTRE ESCAPADE, DANS VOTRE PROPRE INTÉRÊT.

POUR INFORMATION, AU VU DU CHEF D'INCULPATION, LA PEINE PEUT ALLER JUSQU'À TROIS ANS D'EMPRISONNEMENT.

JE DIRAI TOUT.

BON, COMMENÇONS.
PREMIÈREMENT, VOUS AVIEZ L'INTENTION D'ALLER OÙ COMME ÇA ?

À LA MAISON DE SES PARENTS.

VOUS Y ÉTIEZ DÉJÀ ALLÉE ?

NON, MAIS MAMY EN PARLAIT TELLEMENT CES DERNIERS MOIS QUE JE SAVAIS OÙ ELLE SE TROUVAIT.

QU'EST-CE QUE VOUS AVIEZ DERRIÈRE LA TÊTE ?

EN FAIT... RIEN DE PARTICULIER.

SEULEMENT LA SAUVER ET L'EMMENER LOIN DE CET ENDROIT.
JE VOULAIS LUI FAIRE PLAISIR ET LUI PERMETTRE DE REVOIR CETTE MAISON QUI LUI TENAIT TANT À CŒUR.

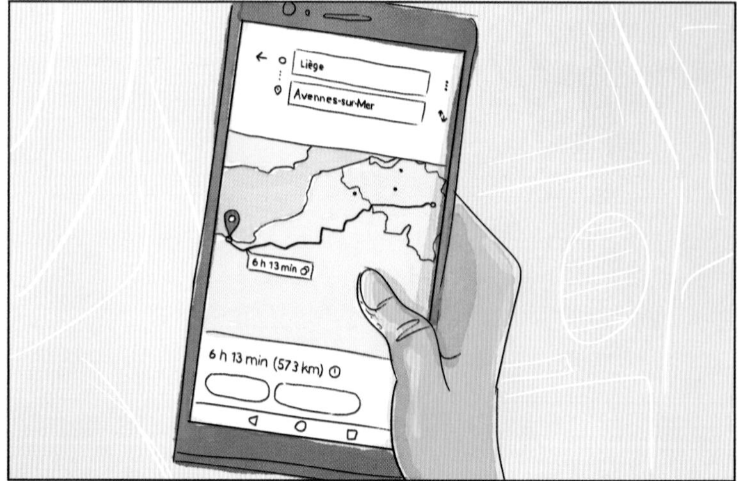
Liège
Avennes-sur-Mer
6 h 13 min
6 h 13 min (573 km)

L'IDÉE DE SA MORT ME
TERRIFIE DEPUIS TOUJOURS.

AU FOND C'EST POUR ÇA
QUE JE LUTTAIS.
DRIIIING

DRIIING
Maman
OH MERDE, DÉJÀ...

DRIIING DRIIING DR
IIING DRIIING DR
DRIIIN DRIIING D

Où êtes-vous ? Je suis sûre que tu es avec Mamy. Tout le monde est inquiet. 16h06
Appelle-moi. 16h40
Si tu ne réponds pas je vais devoir appeler la police. 18h24
Je ne sais pas si tu te rends compte de ce que tu es en train de faire. 18h35

JE TE LAISSERAI PAS TOMBER, PROMIS.

WIUUUU
WIUUU

WIUUU
WIUUU
WIUUU

Paris
Mons
Lille
Tournai
E42
Hannut
Huy
Braives
70
FAIT CHIER...

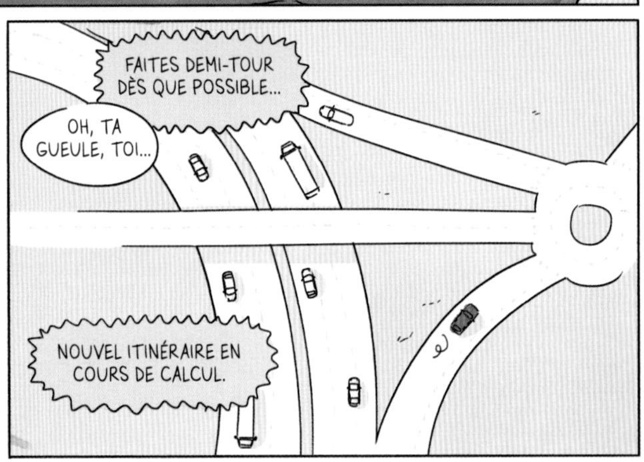
FAITES DEMI-TOUR DÈS QUE POSSIBLE...
OH, TA GUEULE, TOI...
NOUVEL ITINÉRAIRE EN COURS DE CALCUL.

RHMMMM...
RRH...
MMRH...
J'AI FAIM...

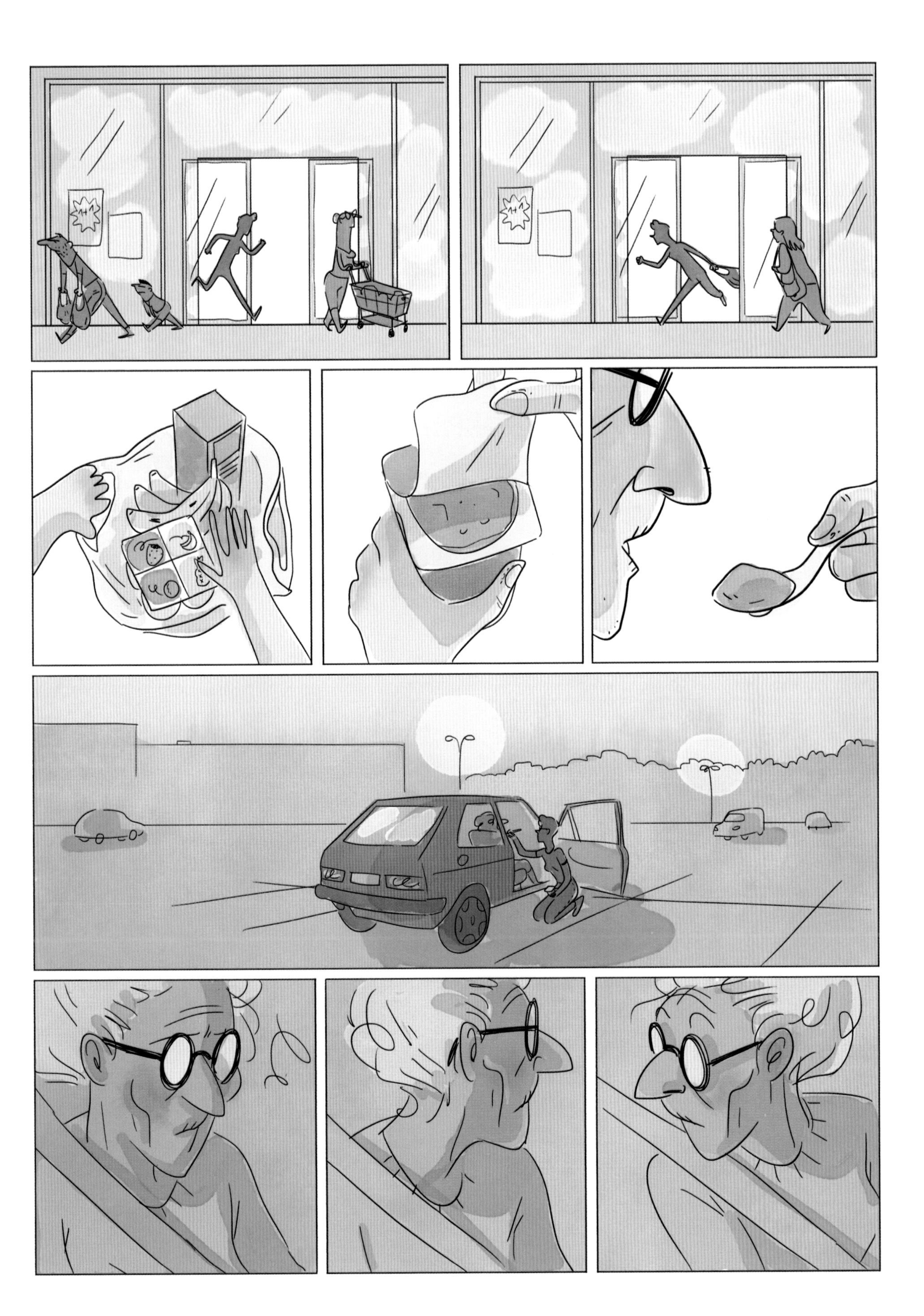
1+1
1+1

... OÙ SUIS-JE ?
MAMY, CHUIS LÀ, FAIS-MOI CONFIANCE...

OÙ SUIS-JE ? OÙ SONT PAPA ET MAMAN ?
ET MON SAC À MAIN ??

ON EST EN ROUTE POUR RETOURNER À TA MAISON... MAIS TES PARENTS NE SONT PLUS LÀ...

OÙ SONT-ILS ? ILS M'ONT LAISSÉE ? ILS SONT PARTIS SANS MOI ?

C'EST PLUS COMPLIQUÉ QUE ÇA...
SOUVIENS-TOI, TU AS 85 ANS...

VOUS MENTEZ, ILS NE SERAIENT JAMAIS PARTIS SANS MOI ! OÙ SUIS-JE, JE NE RECONNAIS RIEN, JE VEUX RENTRER !
ON VA RENTRER, MAIS IL EST TARD, ON REPARTIRA DEMAIN...

NE ME TOUCHEZ PAS !!

J'EXIGE DE RENTRER SUR-LE-CHAMP !!
AU SECOUUURS !

AU SECOUUURS !!
MAMY, ARRÊTE, JE T'EN SUPPLIE !
À L'AIIIIIDE !!!

AU SECOUUUURS !!

MAMY !

QUI ÊTES-VOUS ?

QUI ÊTES-VOUS ?
QUI ÊTES-VOUS ?
QUI ÊTES-VOUS ?
QUI ÊTES-VOUS ?
QUI ÊTES-VOUS ?
QUI ÊTES-VOUS ?
QUI ÊTES-VOUS ?
QUI ÊTES-VOUS ?

C'ÉTAIT LA PREMIÈRE FOIS
QU'ELLE OUBLIAIT QUI J'ÉTAIS.

D'UN COUP,
JE N'EXISTAIS PLUS.

C'EST MOI, CLÉMENCE,
TA PETITE-FILLE !
JE NE VOUS
CONNAIS PAS.

... LA FILLE DE VALÉRIE.
JE N'AI PAS
D'ENFANTS !!

ALORS LAISSEZ-MOI
TRANQUILLE, ESPÈCE DE FOLLE !!

MAMYCHA...
TU NE METTAIS JAMAIS DE CANNELLE DANS LA COMPOTE, PARCE QUE GRAND-PÈRE N'AIMAIT PAS ÇA...

TU METTAIS LA COMPOTE DANS LE FOUR ET UNE CROÛTE CARAMÉLISAIT AU-DESSUS.

TU LA SORTAIS DU FOUR JUSTE AVANT QUE JE RENTRE DE L'ÉCOLE, POUR QU'ELLE AIT EXACTEMENT LA BONNE TEMPÉRATURE.

QUAND JE N'ALLAIS PAS BIEN, TU ME PRÉPARAIS DU BOUILLON DE POULE.

JE PRENAIS LES FOULARDS QUE TU RANGEAIS DANS LA COMMODE ET JE ME DÉGUISAIS EN DANSEUSE.

QUAND JE SORTAIS DU BAIN, TU METTAIS DU TALC DANS MES PANTOUFLES.
FELCE AZZURRA
TALCO
Classico

ET LE SOIR TU ME LISAIS LA PETITE FILLE AUX ALLUMETTES, PARCE QUE C'ÉTAIT MA PRÉFÉRÉE.

OÙ SOMMES-NOUS, CLÉMENCE ?
OÙ EST GRAND-PÈRE ?

IL EST MORT CET HIVER, MAMY.
ON RENTRE À LA MAISON DE TES PARENTS, À AVENNES.

DIEU SOIT LOUÉ ! PAPA ET MAMAN DOIVENT ÊTRE MORTS D'INQUIÉTUDE !

BON, IL EST TARD, MAINTENANT ON VA DORMIR.

OÙ ÇA ?
DANS LA VOITURE.
CLAC

JE NE ME SOUVIENS DE RIEN... J'AI L'IMPRESSION QUE JE DEVIENS FOLLE...

T'INQUIÈTE PAS, MAMY.
ÇA IRA MIEUX DEMAIN.

ELLE S'EST SOUVENUE DE MOI QUAND JE LUI AI PARLÉ DE CHOSES PRÉCISES, ET PAS QUAND JE ME SUIS PRÉSENTÉE DE FAÇON GLOBALE...
DONC ÇA VOULAIT DIRE QU'EN S'APPUYANT SUR UN DÉTAIL PRÉCIS, À CONDITION QUE LA MAGIE OPÈRE, ELLE ÉTAIT CAPABLE DE RECONSTRUIRE UN SOUVENIR PLUS GÉNÉRAL...

QUEL EST LE RAPPORT ?

IMAGINEZ LE POTENTIEL DE REVOIR LA MAISON DE SON ENFANCE MAIS 60 ANS APRÈS L'AVOIR QUITTÉE...

EN FAIT CETTE MAISON C'ÉTAIT PLUS SEULEMENT POUR LUI FAIRE PLAISIR...
ET SI CETTE MAISON ÉTAIT LA CLÉ POUR RÉTABLIR LE LIEN ENTRE SON PASSÉ ET SON PRÉSENT ?
LUI FAIRE RETROUVER LA MÉMOIRE ?

JE SUIS PAS UTOPISTE À CE POINT-LÀ... MAIS PRESQUE !

Z

TINGZ
google.com/search?q=
Maladie d'Alzheimer
APERÇU
SYMPTÔMES
TRAITEMENTS

Maman:
J'ai appelé la police il y a une heure. Ils vous cherchent. Il est toujours possible de revenir en arrière, appelle-moi.

AVIS DE RECHERCHE

ma position

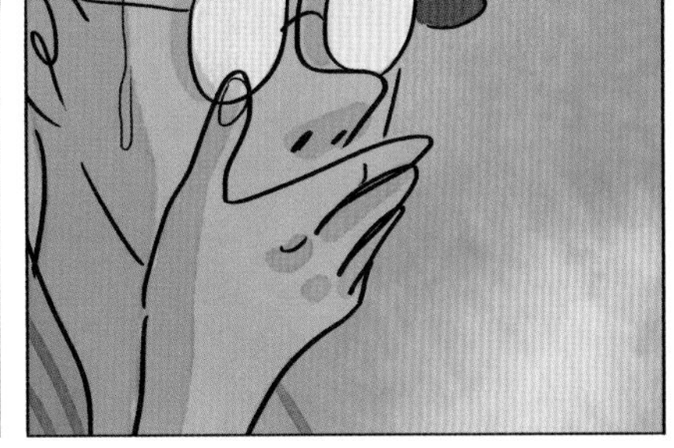

BANG
CLAC
Z
...
Désactiver la géolocalisation
1T
BIM
PUTAIN MAIS QUELLE CONNE...

POURQUOI N'AVOIR RIEN DIT À VOTRE MÈRE ?

CHAIS PAS.

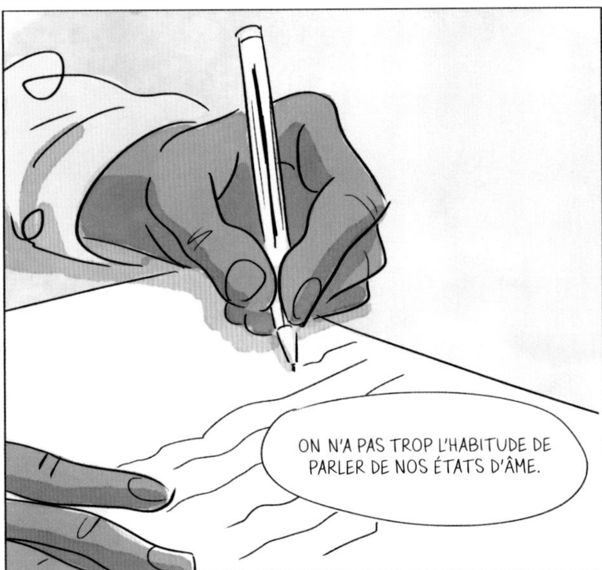
ON N'A PAS TROP L'HABITUDE DE PARLER DE NOS ÉTATS D'ÂME.

ET KIDNAPPER VOTRE GRAND-MÈRE, C'EST UN ÉTAT D'ÂME ?

AU FOND...
OUI.

C'EST BON, T'AS FINI ?
PRESQUE !

AIDE-MOI UN PEU...
MAIS ENFIN, MAMY, T'AS MIS TA CULOTTE PAR-DESSUS TA JUPE...

ATTENTION À CE QU'IL N'Y AIT PAS DE PLIS, HEIN !
OUI, OUI, ALLEZ VIENS.

ET MON SAC ? OÙ EST MON SAC À MAIN ??

T'INQUIÈTE, MAMY, IL EST DANS LA VOITURE FERMÉE À CLÉ.

HEUREUSEMENT, PARCE QUE JE T'ASSURE, Y EN A QUI ONT LA MAIN LESTE, HEIN... J'EN AI FAIT LES FRAIS, ON M'A VOLÉ DES BAGUES, DES VÊTEMENTS, DES CHAUSSURES, DES FOULARDS, DES...

1+1

MAMAN ?

MAMAN, TU PEUX ACHETER ÇA ?
QU'EST-CE QU'ON DIT ?

S'IL TE PLAÎT !
OUI, C'EST D'ACCORD.

PARCE QUE TU AS ÉTÉ TRÈS SAGE.

CLÉMENCE ?

JE PEUX PRENDRE UN BOUNTY, S'IL TE PLAÎT ?

OUI, BIEN SÛR...
BOUNTY

POURQUOI AVOIR RETIRÉ TOUT CET ARGENT ?
POUR ÊTRE SÛRE...

LA MAISON EST LOIN, PAR LES PETITES ROUTES, ÇA RISQUE DE PRENDRE PLUS D'UNE JOURNÉE...

FAIS ATTENTION, HEIN ! IL Y A DES GENS QUI N'HÉSITENT PAS À... COMMENT DIRAIS-JE, DONC... ENFIN, TU VOIS, QUOI !
CLAC!

QUI T'A FAIT ÇA, CLÉMENCE ?
LES FILLES ME DÉTESTENT...
POURQUOI ?
ELLES DISENT QUE JE SUIS UN GARÇON.
ET LES GARÇONS ME DÉTESTENT...
PARCE QUE JE SUIS UNE FILLE.

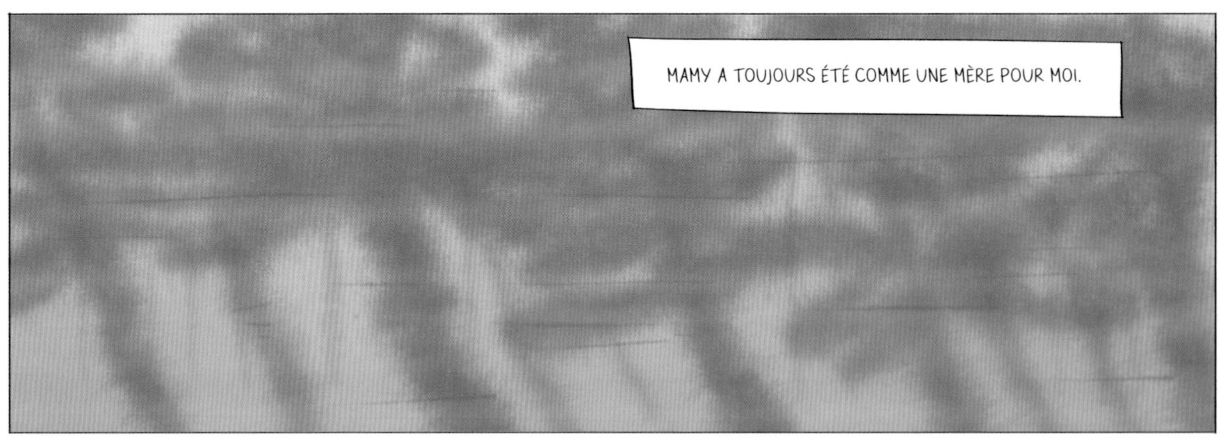
MAMY A TOUJOURS ÉTÉ COMME UNE MÈRE POUR MOI.

JE SAIS QUE PARFOIS MAMAN REGRETTE LA VIE QU'ELLE MÈNE, ET ÇA ME REND TRISTE.

JE SENS TOUS SES REGRETS EFFLEURER LA SURFACE, DANS CERTAINS MOMENTS RIEN QU'À ELLE.

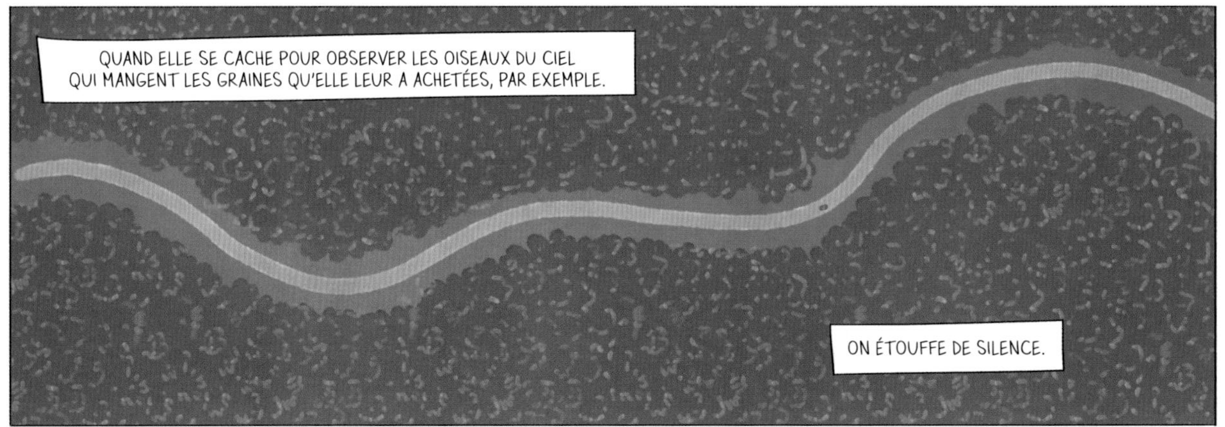
QUAND ELLE SE CACHE POUR OBSERVER LES OISEAUX DU CIEL
QUI MANGENT LES GRAINES QU'ELLE LEUR A ACHETÉES, PAR EXEMPLE.
ON ÉTOUFFE DE SILENCE.

TIENS, ET OÙ HABITES-TU, TOI, MAINTENANT ?

À BRUXELLES, DEPUIS UN AN, TU ES DÉJÀ VENUE VOIR MON APPARTEMENT...

HAHA ! TU ES SÛRE ?
J'AI LA MÉMOIRE QUI FLAAANCHE, J'ME SOU-VIENS PLUS TRÈS BIEN...

J'AI LA MÉMOIRE QUI FLAAANCHE, DIDOUDIDA...

LA PREMIÈRE FOIS QU'ELLE A CHANTÉ CETTE CHANSON POUR DÉDRAMATISER, C'ÉTAIT IL Y A TROIS ANS.

JE NE L'AVAIS JAMAIS ENTENDUE AVANT.
... J'ME SOU-VIENS PLUS TRÈS BIEN...

JE NE LA CONNAIS PAS PLUS AUJOURD'HUI, MAMY NE CHANTE JAMAIS QUE LE REFRAIN.

JE DOIS ALLER AUX TOILETTES.

C'EST URGENT ?
ÇA DÉPEND.

TU TE RETIENS JUSQU'À CE QU'ON TROUVE QUELQUE CHOSE OU TU PEUX FAIRE DANS LA NATURE ?

BIEN SÛR QUE JE PEUX, TU ME PRENDS POUR UNE IMBÉCILE OU QUOI ?

HOULÀ, EXCUSE-MOI, MacGYVER !
ON VA EN PROFITER POUR MANGER UN BOUT.

AH BEN TANT MIEUX, PARCE QUE J'AI FAIM !

PURÉE, MAIS T'AS DÉGOMMÉ LA CONFITURE !!!

SI T'AS MAL AU VENTRE TANT PIS POUR TOI...

ON VA DÉCORER LA VOITURE !

C'EST SI LAID CE TAS DE FERRAILLE...

ON VA LA COUVRIR DE FLEURS !

TIENS, METS-EN AU RÉTROVISEUR !

POURQUOI PAS, MAIS À QUOI ÇA SERT ?

COMMENT ÇA, À QUOI ÇA SERT ?

BEN À ÊTRE BEAU, TIENS !!

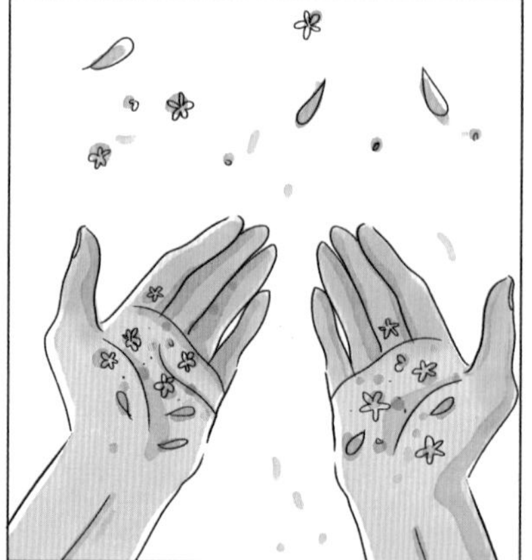

TU SAIS COMMENT ON LES SURNOMME ?

MOI AUSSI JE PERDS LA MÉMOIRE...

NE M'OUBLIE PAS...

NE M'OUBLIE PAS...

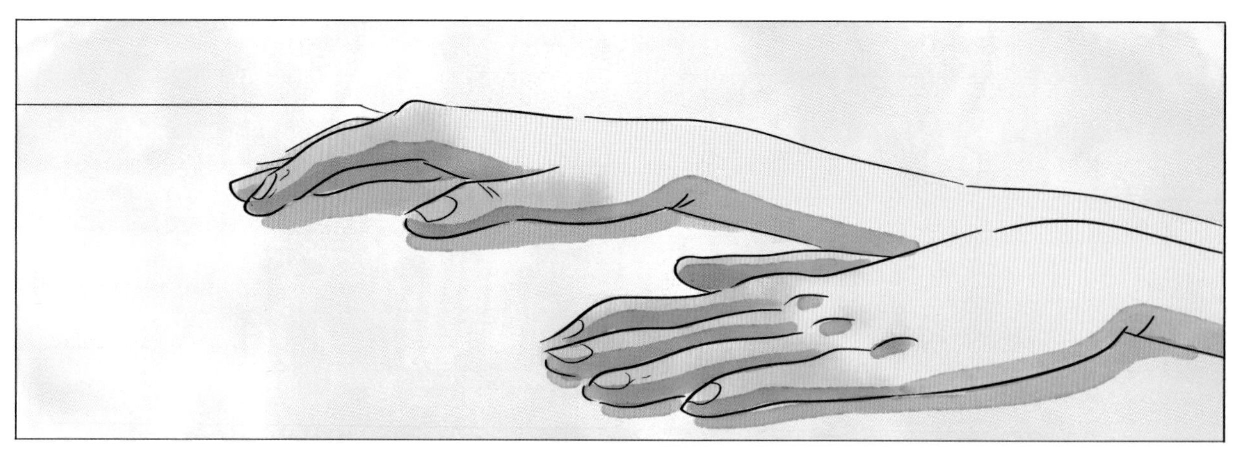

COMMENT SE FAIT-IL QUE VOUS AYEZ PASSÉ AUTANT DE TEMPS AUPRÈS DE VOS GRANDS-PARENTS ?

MA MÈRE EST MÉDECIN GÉNÉRALISTE. C'EST PAS UN MÉTIER, C'EST UN MODE DE VIE.
70 HEURES PAR SEMAINE.

TOUS SES PATIENTS L'ADMIRENT.

ET VOUS ?

JE NE SAIS PAS.

JE NE CONNAIS PAS CE PAN DE SA VIE.

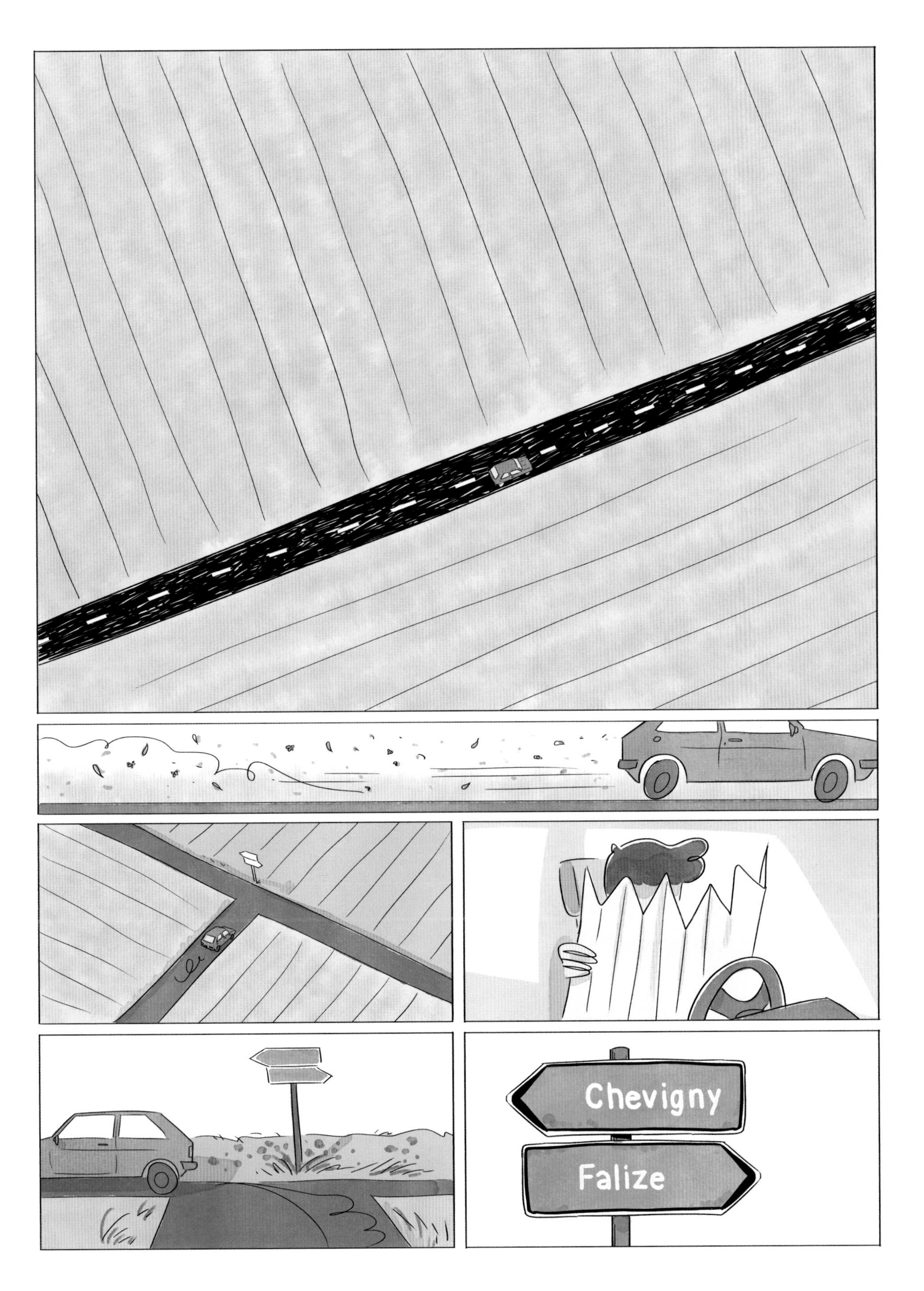
Chevigny
Falize

ET MERDE...

LE JOUR BAISSE, IL EST GRAND TEMPS DE RENTRER.
MAMY, ON N'ARRIVERA PAS CE SOIR, C'EST LA DIXIÈME FOIS QUE JE TE LE DIS.

MAIS ON VA SE FAIRE ATTENDRE... ON VA SE FAIRE GRONDER.

PERSONNE NE NOUS ATTEND NULLE PART, FAIS-MOI CONFIANCE. TIENS-TOI TRANQUILLE ENCORE UN PEU, JE SAIS QUE T'ES FATIGUÉE...

OUI MAIS LE JOUR BAISSE ET ON NE PEUT MÊME PAS PRÉVENIR DE NOTRE RETARD.

JE SAIS PAS OÙ ON EST...
ON EST PERDUES...
OÙ ALLONS-NOUS DORMIR ??
DANS LA VOITURE.

AH NON, J'EN AI ASSEZ DE LA VOITURE ! J'AI MAL AU DERRIÈRE, CE SOIR JE DORS DANS MON LIT !

... D'AILLEURS OÙ EST MON SAC ??
CLÉMENCE ? MON SAC ???
AH OUF, MERCI.

BONSOIR, ON EST PERDUES, VOUS POUVEZ M'INDIQUER SUR UNE CARTE OÙ ON EST ?

NAN, JE SAIS PAS LIRE DE CARTE, DÉSOLÉ.
VOUS AVEZ PAS UN PORTABLE ?
NON. Y A UN HÔTEL DANS LE COIN ?

Y A PLEIN DE CHAMBRES D'HÔTES DANS LES ENVIRONS. C'EST REMPLI DE BOURGES EN VACANCES À CETTE SAISON. J'EN CONNAIS UNE BIEN SI TU VEUX.

T'AS UN PLAN PAS CHER ?
BAH... LE CAMPING. ILS ONT UNE PARTIE BUNGALOW, STYLE MOTEL...

VOUS POUVEZ NOUS GUIDER JUSQUE-LÀ ?
OUI, SUIVEZ-MOI.

BELGIQUE
CARTE D'IDENTITE
BELGIË
IDENTITEITSKAART
BELGIEN
PERSONALAUSWEIS
BELGIUM
IDENTITY CARD
TOUT ÇA PARAÎT SI LOINTAIN.

EN FAIT JE NE PEUX PAS LES COMPARER.

MERCI IRÈNE...

IL Y A CELLE D'AVANT...
ET CELLE D'APRÈS.

QUI EST IRÈNE ?
SA SŒUR.
ELLE EST MORTE IL Y A CINQ ANS.
ELLE VOUS PREND SOUVENT POUR QUELQU'UN D'AUTRE ?
OUI.
CAMPING
ACCUEIL

OOOH, CLÉMENCE !

TU AURAIS PU FAIRE TON LIT PLUS SOIGNEUSEMENT !
C'EST VULGAIRE LE LAISSER-ALLER !

ON N'EST PAS CHEZ MOI, MAMY, ON EST À L'HÔTEL.
ON RESTE JUSTE UNE NUIT.

À L'HÔTEL ? QUEL HÔTEL ? OÙ SOMMES-NOUS ?

ON EST EN ROUTE POUR RETROUVER LA MAISON DE TES PARENTS, MAIS IL RESTE ENCORE BEAUCOUP DE ROUTE...

MON DIEU, QUELLE MERVEILLEUSE NOUVELLE ! PAPA ET MAMAN SERONT SI CONTENTS DE NOUS VOIR !

BON ALLEZ, TU M'AS L'AIR FATIGUÉE, TU VAS ALLER PRENDRE UNE DOUCHE ET DORMIR.

AH NON, JE DÉTESTE LES DOUCHES !

T'AS DE LA CHANCE, IL Y A UNE BAIGNOIRE !
PAS D'EXCUSE.

NON, JE N'AI PAS ENVIE DE ME DÉSHABILLER, JE ME SUIS DÉJÀ LAVÉE CE MATIN !

ÇA M'ÉTONNERAIT, J'ÉTAIS LÀ ET ON NE S'EST PAS LAVÉES.

TU DIS QUE JE PUE ?
TU VEUX SENTIR MA CULOTTE POUR VÉRIFIER ?

ALLEZ, ARRÊTE TES ENFANTILLAGES, TU DOIS TE LAVER ET PUIS C'EST TOUT !

EH OH, MOI AUSSI JE PEUX HAUSSER LE TON !
ET JE DIS QUE NON !

RAAAH, PITIÉ, MOI AUSSI CHUIS FATIGUÉE, NE M'OBLIGE PAS À T'OBLIGER !

ET POURQUOI TU VEUX ABSOLUMENT QUE JE PRENNE UN BAIN ALORS ?

PFFF, T'AS RAISON APRÈS TOUT...
ON S'EN FOUT, FAIS CE QUE TU VEUX.

BON ÇA VA...
JE VAIS LE PRENDRE.

ROOH, T'ES GRAVE, HEIN !
JE COMPRENDS QU'À LA MAISON DE RETRAITE ILS AIENT PAS LE TEMPS DE JOUER À TES PETITS JEUX !

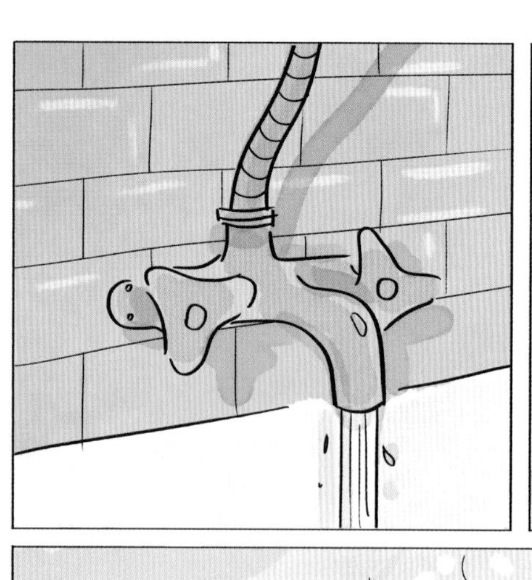

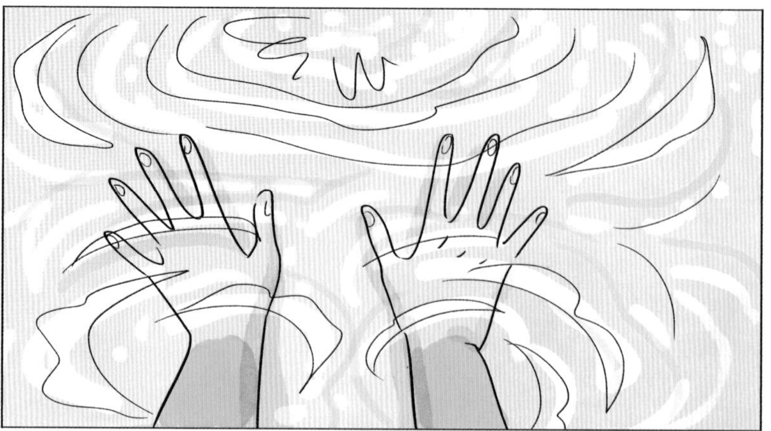

CHEZ MAMY IL Y AVAIT DE LA MOQUETTE DANS LA SALLE DE BAINS.
C'EST BIZARRE, NON ?

LE RIDEAU DE DOUCHE ÉTAIT EN TISSU ÉPONGE.

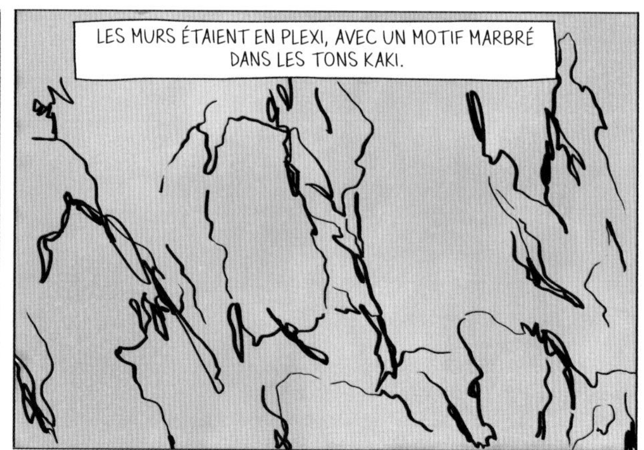
LES MURS ÉTAIENT EN PLEXI, AVEC UN MOTIF MARBRÉ DANS LES TONS KAKI.

EN FAIT, CETTE SALLE DE BAINS ÉTAIT
SUPER MOCHE QUAND J'Y REPENSE.

MAIS COMME ELLE ÉTAIT RIKIKI,
LE PLAFOND AVAIT L'AIR IMMENSE.

ET QUAND J'ÉTAIS COUCHÉE DANS LA BAIGNOIRE,
J'AVAIS L'IMPRESSION D'HABITER DANS UN PALAIS.

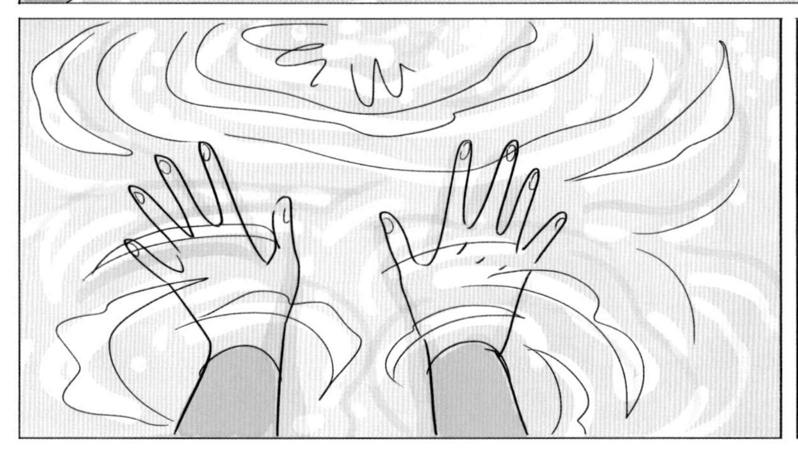

IL EST BEAU, HEIN, MON SOUTIEN-GORGE...

C'EST VRAI QU'IL EST TRÈS BEAU, D'OÙ IL VIENT ?

JE NE SAIS PLUS... J'AI OUBLIÉ OÙ JE L'AI ACHETÉ...

J'AI PEUR DE TOMBER...
T'INQUIÈTE, JE TE TIENS... VOILÀÀÀ !

EST-CE QUE LES POILS SONT CENSÉS DEVENIR BLANCS ?

SPLAAACH
T'ES DANS LA LUNE OU QUOI ?

NON MAIS ATTENDS, C'EST MOI QUI VAIS T'ENVOYER SUR LA LUNE !!

HAHA!
PUTAIN, TU M'AS PAS LOUPÉE, HEIN !

DÉSHABILLE-TOI, TU VAS ATTRAPER FROID ! VIENS DANS L'EAU AVEC MOI !

MAIS...
NON, J'PEUX PAS.

BEN DIS, JE T'AI DÉJÀ VUE TOUTE NUE, HEIN !

ALLEZ VIENS, ON VA RAJOUTER PLUS D'EAU !

ET LES AMOURS ?

BAH TU SAIS, L'AMOUR, ÇA A BIEN CHANGÉ... ON SE MARIE PLUS POUR TOUJOURS AFIN D'ÊTRE HEUREUX ET DE FAIRE BEAUCOUP D'ENFANTS.

NOUS NON PLUS, ON SE MARIAIT PAS TOUJOURS POUR ÊTRE HEUREUX.

FAIRE BEAUCOUP D'ENFANTS, PAR CONTRE...
HAHA.

TU AVAIS ENVIE D'ÉPOUSER GRAND-PÈRE ?

OUI.

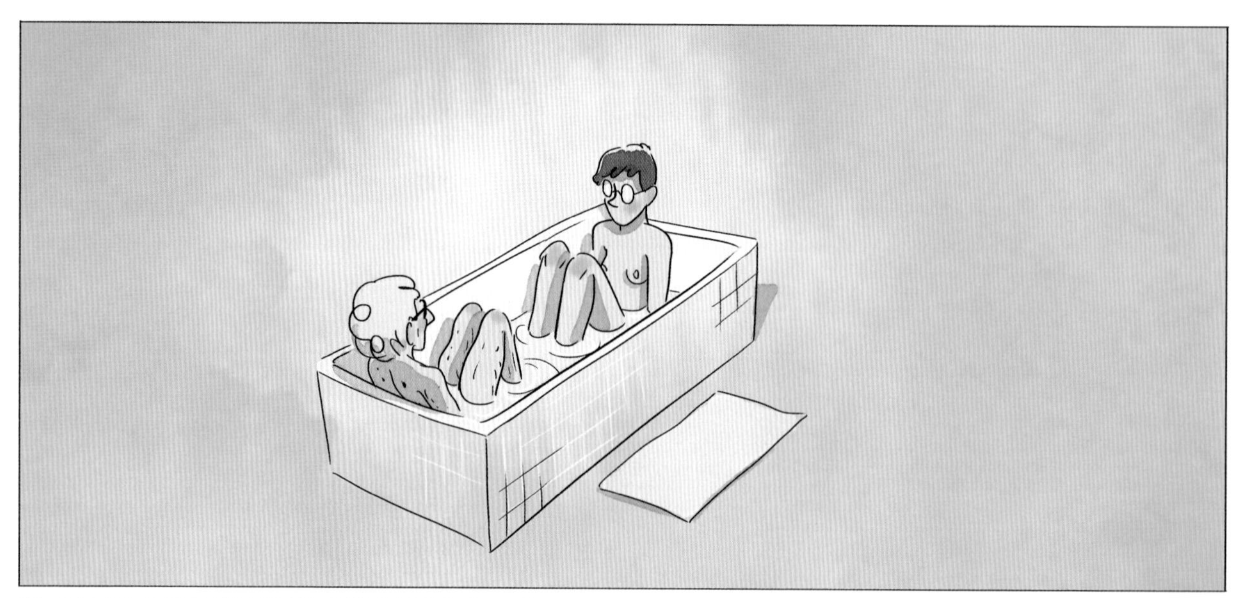

SOIS PRUDENTE,
CLÉMENCE.

C'EST DUR L'AMOUR,
PARFOIS.

BAM

PUTAIN, C'EST QUOI TON PROBLÈME, CLÉMENCE ?

TOI C'EST QUOI TON PROBLÈME ??

T'AS REGARDÉ TROP DE PORNOS, ESPÈCE DE PUCEAU, VA !

JE SENS QUE TU ME CACHES UN TRUC DEPUIS UN MOMENT...

QU'EST-CE QUE T'AS ? TU ME TROMPES, C'EST ÇA ?
JE T'AI DIT QUE NAN !

TU MENS...

ALORS POURQUOI TU JOUIS JAMAIS ?

MAIS BORDEL C'EST QUOI TON PROBLÈME, ARTHUR ?

FOUS-MOI LA PAIX, **MERDE** !

ET POURQUOI TU PRENDS MÊME PAS LA PEINE DE FAIRE SEMBLANT, TOI L'ACTRICE ?

EN VRAI C'EST ÇA TON JEU, T'ESSAIES DE ME FAIRE PASSER POUR UNE COUILLE MOLLE, ÇA T'AMUSE D'HUMILIER TES MECS, TOUT LE MONDE LE SAIT !

TOUT LE MONDE SAIT QUOI ? DE QUOI TU PARLES ?
BAH LAISSE TOMBER, ÇA REGARDE QUE TOI.

PUTAIN, EN FAIT T'AS RAISON, T'ES UNE COUILLE MOLLE.

BLAM

PUTAIN, CE QUE T'AS L'AIR CON...

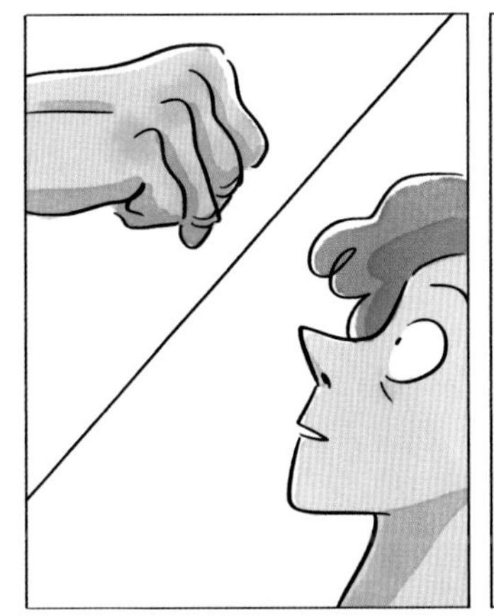

PAF

RAAAH, SALE PUTE...

DÉGAGE.

VLAM

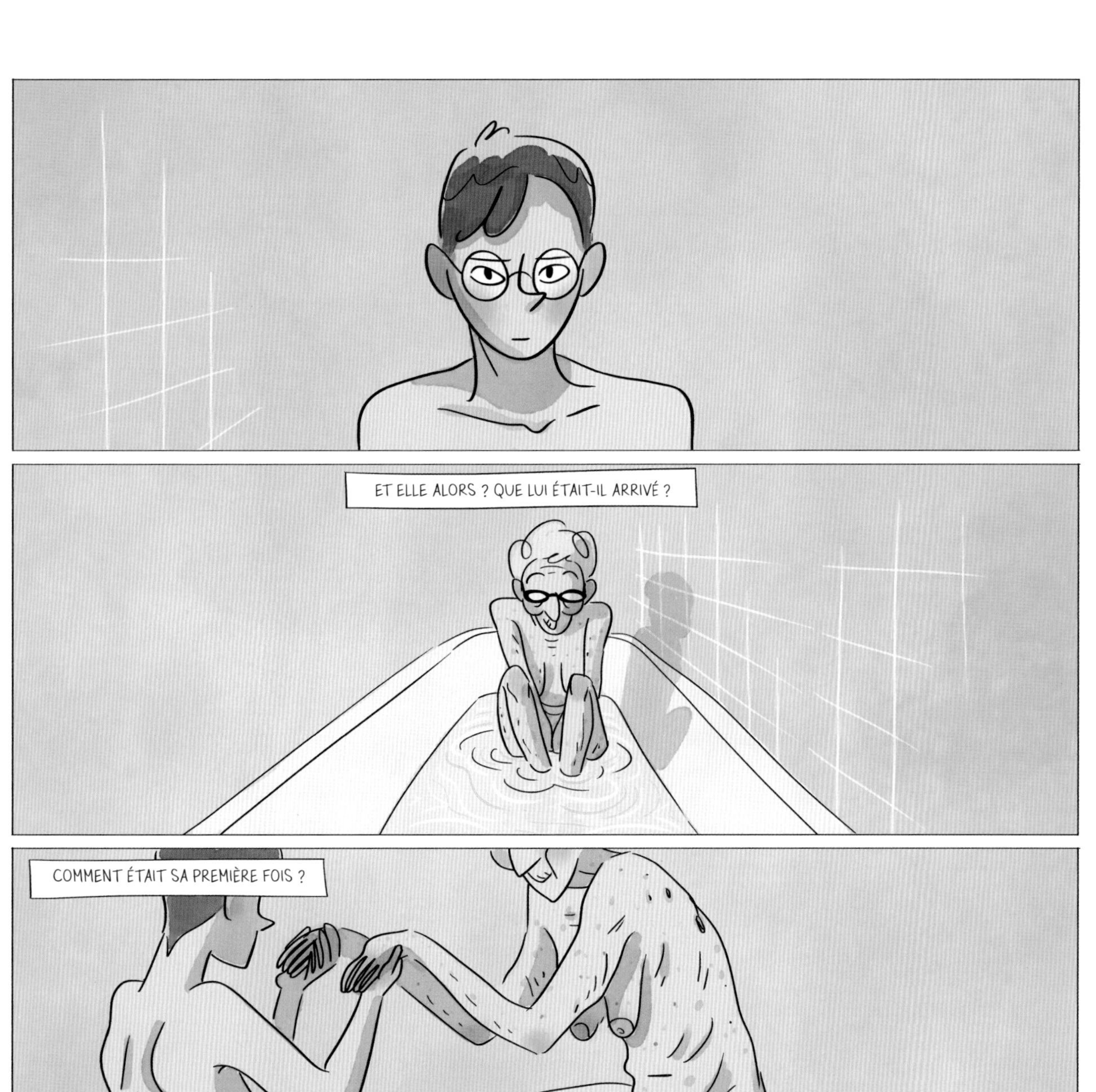
ET ELLE ALORS ? QUE LUI ÉTAIT-IL ARRIVÉ ?

COMMENT ÉTAIT SA PREMIÈRE FOIS ?
QUELLES FURENT SES PLUS GRANDES PEINES ?

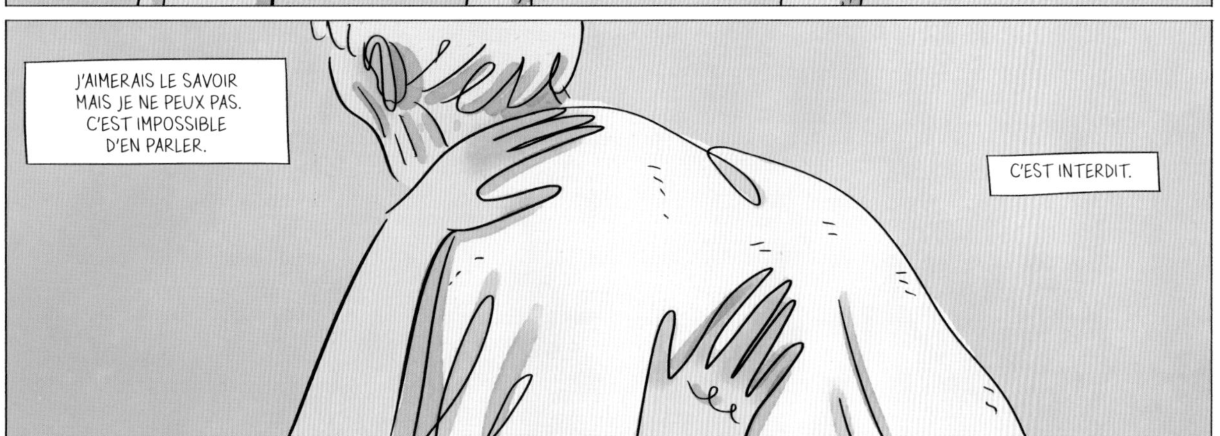
J'AIMERAIS LE SAVOIR MAIS JE NE PEUX PAS. C'EST IMPOSSIBLE D'EN PARLER.
C'EST INTERDIT.

PEUT-ÊTRE QUE C'EST POUR ÇA
QUE J'AIME L'ART ET LE THÉÂTRE.

POUR AVOIR L'OCCASION DE PARLER DE L'INTIME
SOUS LE COUVERT DE LA FICTION...

... EN APPRENDRE PLUS SUR SES
PROPRES FAILLES AU TRAVERS
DE CELLES DES AUTRES.

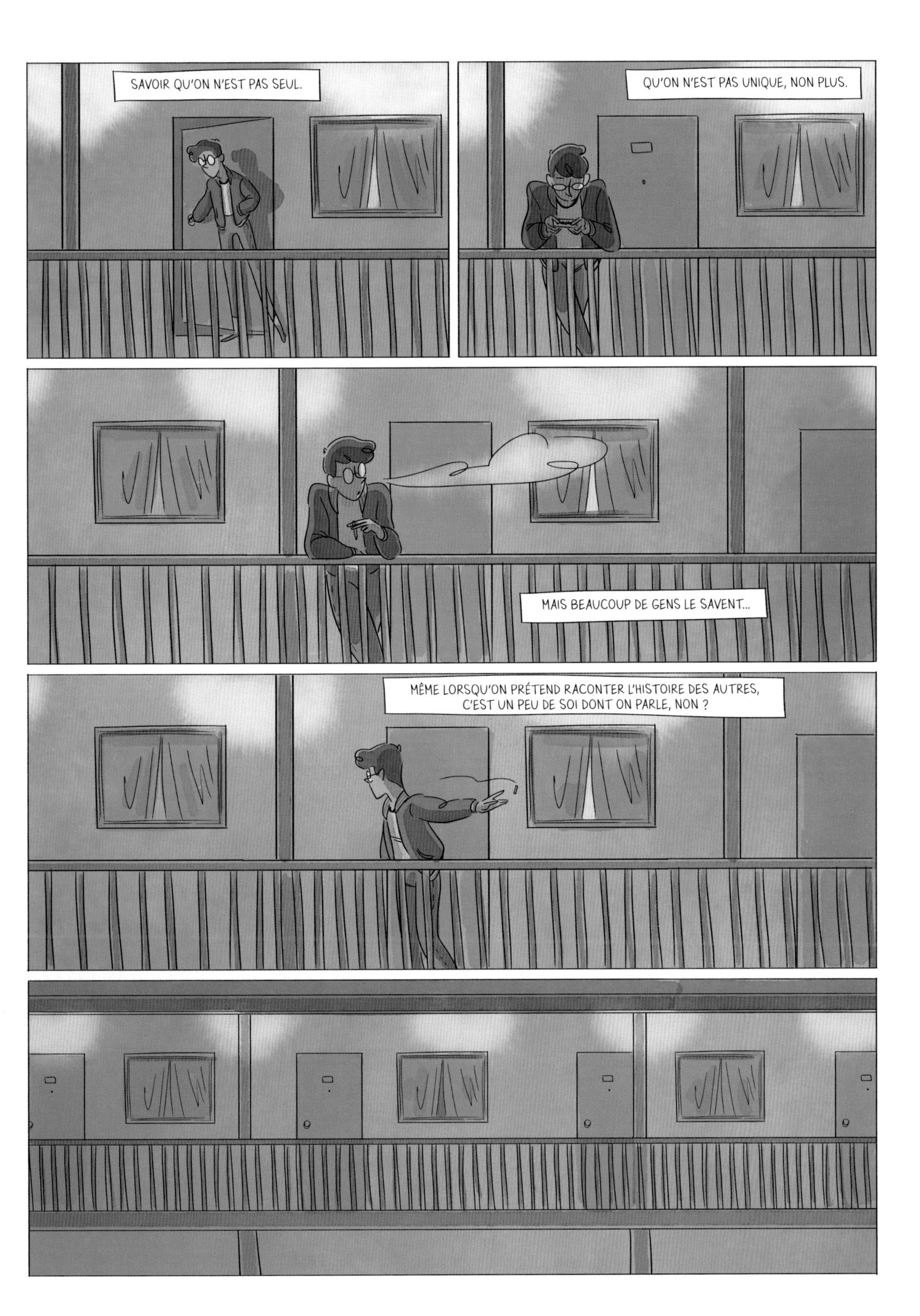
SAVOIR QU'ON N'EST PAS SEUL.
QU'ON N'EST PAS UNIQUE, NON PLUS.
MAIS BEAUCOUP DE GENS LE SAVENT...
MÊME LORSQU'ON PRÉTEND RACONTER L'HISTOIRE DES AUTRES, C'EST UN PEU DE SOI DONT ON PARLE, NON ?

QU'EST-CE QUI S'EST PASSÉ LE LENDEMAIN MATIN ?

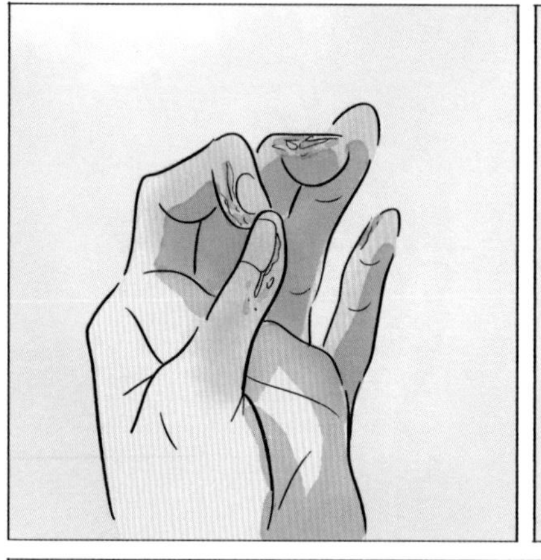

C'EST COMPLIQUÉ...

ÇA ARRIVE SOUVENT QUE LE MATIN, MAMY SE RÉVEILLE TRÈS FAIBLE.

ELLE DIT QU'ELLE EST MALADE...
... ELLE NE VEUT PAS SE LEVER...

... NI BOIRE, NI MANGER...

ELLE LE FAISAIT DÉJÀ À LA MAISON DE RETRAITE...

HAN NON, JE NE ME SENS PAAAAS BIEN DU TOUT, LAISSE-MOI...
NON NON, SI JE MANGE JE VAIS VOMIR...
IRÈNE ET ROSALIE ÉTAIENT BIEN PLUS JOLIES QUE MOI, MOI J'ÉTAIS LA PETITE DERNIÈRE, CELLE QU'ON NE REGARDE PAS...
ET ALORS PAPA A RETIRÉ DES PIÈCES À L'AUTO, COMME ÇA LES BOCHES NE POUVAIENT PAS LA PRENDRE !
TU Y AURAIS PENSÉ, TOI ?
MAMAN PARLE FRANÇAIS, NÉERLANDAIS, ANGLAIS, ET MÊME ALLEMAND !
PENDANT LA GUERRE, C'EST ELLE QU'ON VENAIT TROUVER POUR TRADUIRE.
TIENS, JE BOIRAIS BIEN UN PETIT CAFÉ TOUT COMPTE FAIT...
ET... ET MON SAC ??
IL EST ICI, MAMY...
AH OUI, MERCI.
À Bientô
Camping
du Vallon
VOUS OUBLIEZ UN DÉTAIL...

VOUS AVEZ QUITTÉ L'HÔTEL AUX ENVIRONS DE 9H, EN EFFET, MAIS SANS RÉGLER LE RESTANT DE LA SOMME QUI ÉTAIT DUE, À SAVOIR...
25 EUROS.
AH, ET VOUS AVEZ VOLÉ LA SONNETTE DE LA RÉCEPTION, D'APRÈS LA GÉRANTE...

OUI, MAMY A VOLÉ LA SONNETTE, JE L'AI REMARQUÉ APRÈS...
MAIS ELLE POURRAIT VOUS JURER QUE C'EST LA SIENNE...

POUR LE RESTE JE SAIS PAS, J'ÉTAIS VRAIMENT PRÉOCCUPÉE PAR L'ÉTAT DE MAMY ET JE...
ARRÊTEZ, INUTILE D'EN RAJOUTER...

VOUS AVIEZ RETIRÉ PRÈS DE 250 EUROS EN LIQUIDE LA VEILLE, POURQUOI S'EMMERDER POUR 25 EUROS ?

QU'EST-CE QUI S'EST PASSÉ EN RÉALITÉ ?

SI VOUS ÊTES BLANCHE COMME NEIGE COMME VOUS LE DITES, C'EST LA VÉRITÉ QUI DEVRAIT VOUS INNOCENTER.

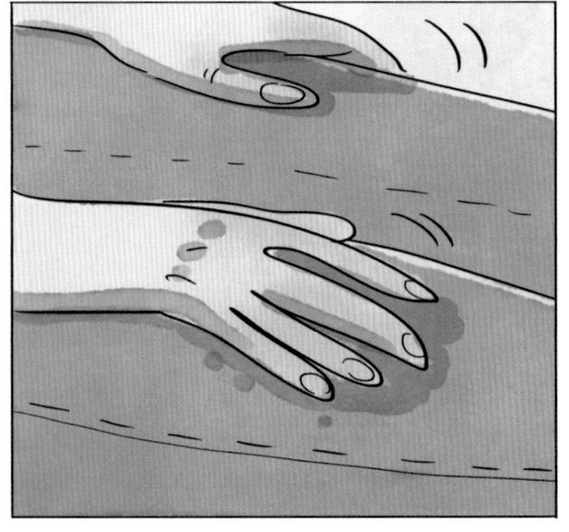

QUAND MAMY S'EST ENDORMIE,
JE NE SUIS PAS VRAIMENT ALLÉE ME COUCHER.
MÊME SI AU DÉPART C'ÉTAIT
CE QUE JE COMPTAIS FAIRE.

QU'EST-CE QUE J'AURAIS PU FAIRE D'AUTRE DE TOUTE FAÇON ?

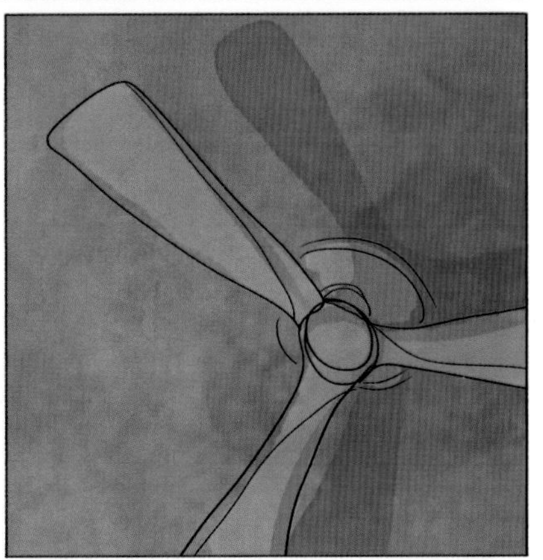

QU'EST-CE QUI VA
NOUS ARRIVER ?

TOC
TOC

TOC
TOC !

HEY, JE SAIS QUE T'ES LÀ, JE T'AI VUE ARRIVER TOUT À L'HEURE.

QU'EST-CE QUE TU VEUX ?

J'VAIS FAIRE UN TOUR, ÇA TE DIT ?

OK.
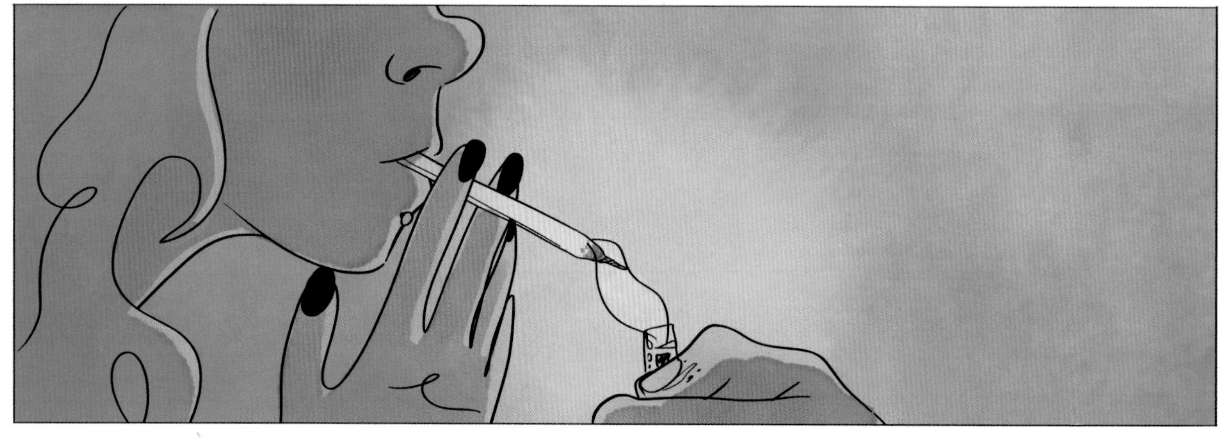

C'EST UN VRAI MÉTIER, COMÉDIENNE ?
BEN OUAIS, C'EST PAS PIRE QU'ESTHÉTICIENNE.

ARRÊTE DE ME CHARRIER, C'EST JUSTE UNE FORMATION, J'VAIS PAS FAIRE ÇA TOUTE MA VIE !

ÇA TE FAIT PAS BIZARRE DE DEVENIR QUELQU'UN D'AUTRE ? T'AS PAS L'IMPRESSION DE TE PAUMER UN PEU, QUAND TU JOUES ?

NON. J'AIME BIEN.

T'AS DE LA CHANCE DE SAVOIR CE QUE TU VEUX FAIRE DE TA VIE.

J'AI JAMAIS SU CE QUE JE VOULAIS FAIRE ET MAINTENANT J'AI PAS DE PLAN, PAS DE BOULOT.
TU VIS ICI ?

C'EST PROVISOIRE, HEIN, JUSTE LE TEMPS DE REBONDIR.
REBONDIR, C'EST MA SPÉCIALITÉ.

MON PÈRE DISAIT TOUJOURS : "DIANE A PLUS D'UN TOUR DANS SON SAC !" HAHA !

J'AURAIS PRÉFÉRÉ ALLER AILLEURS, C'EST MERDIQUE CET ENDROIT.

J'AI MA MÈRE, MAIS ELLE SAIT MÊME PAS S'OCCUPER D'ELLE, ET J'AI PAS ENVIE DE REDEVENIR SA BÉQUILLE.

ET TON PÈRE ?

IL EST MORT D'UN CANCER.
MA MÈRE A COMPLÈTEMENT DISJONCTÉ.

J'AI TOUT FAIT POUR L'AIDER,
J'AI MIS LONGTEMPS À COMPRENDRE
QU'ELLE ÉTAIT LA SEULE RESPONSABLE
DE CE QUI LUI ARRIVAIT.

ET MAINTENANT
ELLE EST OÙ ?

ELLE VIT SEULE
CHEZ ELLE.
ELLE FAIT RIEN
DE SES JOURNÉES.

ELLE A JAMAIS SU
SE BATTRE.
PLUTÔT CREVER
QUE DE FINIR
COMME ELLE.

ELLE ME FAIT
BEAUCOUP DE PEINE.

MOI AUSSI MA MÈRE ME FAIT DE LA PEINE.

ALORS QUE C'EST UNE BATTANTE.

ELLE A PAS EU DE CHANCE MAIS ELLE A EU BEAUCOUP DE COURAGE.

POURQUOI ?

C'EST UNE MÈRE CÉLIBATAIRE.
ÇA PASSE OU ÇA CASSE.

JE NE SAIS PAS VRAIMENT QUI EST MON PÈRE NI CE QUI EST ARRIVÉ À LEUR COUPLE, AU-DELÀ DU "DIFFÉREND IRRÉCONCILIABLE" ET DU "ÇA N'ALLAIT PLUS, C'EST LA VIE".

ET T'AS PAS ENVIE DE LE SAVOIR ?

CHAIS PAS. C'EST GÊNANT DE PARLER DE ÇA À MA MÈRE.
C'EST INTIME QUAND MÊME.

C'EST TA MÈRE !

BEN OUI, JUSTEMENT.

ET QU'EST-CE QUE TU FOUS ICI EN FAIT ?
C'EST TA GRAND-MÈRE, LA VIEILLE QUE J'AI VUE ?

OUAIS. JE L'EMMÈNE RENDRE VISITE À UNE DE SES COUSINES.

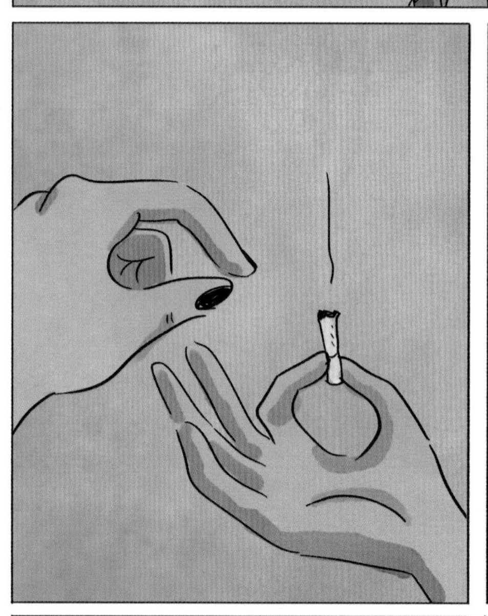

MAIS C'EST LOIN.

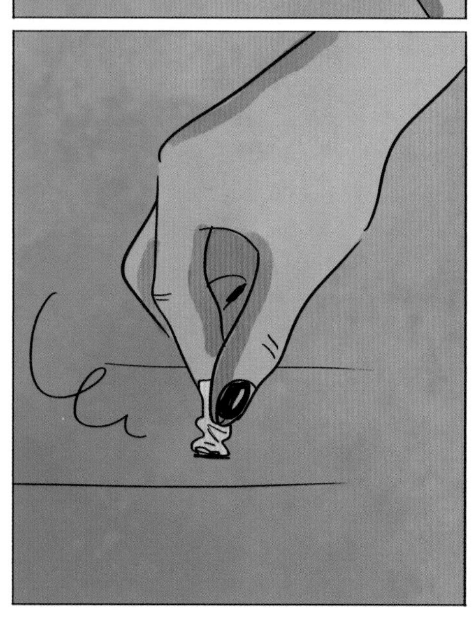

TU VEUX EN FUMER UN AUTRE ?
ET TOI, TU VEUX ?
SI TU VEUX.
OUI.

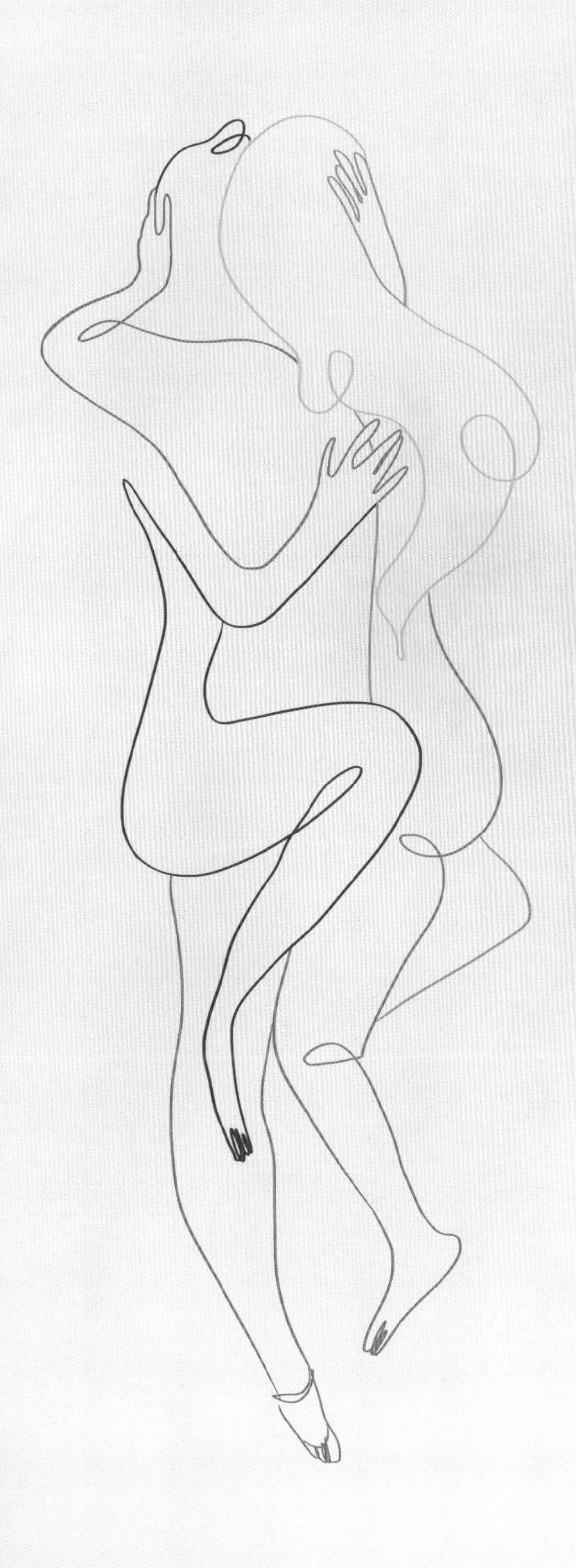

«IL ARRIVE QU'ON SE CROIE INCOMPLET SIMPLEMENT PARCE QU'ON EST JEUNE.»

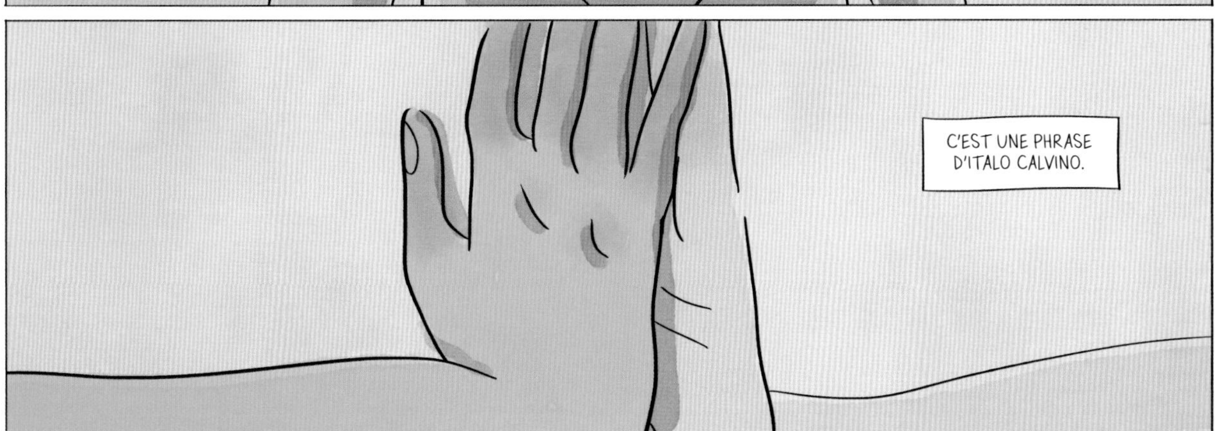
C'EST UNE PHRASE D'ITALO CALVINO.

EST-CE QUE ÇA ARRIVE À TOUT LE MONDE
DE SE REGARDER DANS LA GLACE ET DE SE DIRE : «C'EST MOI.»
OU BIEN : «VOILÀ, ÇA, C'EST MOI.»
EST-CE QUE TOUT
LE MONDE FAIT ÇA ?
EST-CE QU'ON FAIT ÇA SEULEMENT
QUAND ON A 20 ANS ?
EST-CE QUE ÇA DURE
TOUTE LA VIE ?

HÉ !

DIS-MOI COMMENT TU T'APPELLES.

CLÉMENCE.

ÇA TE VA BIEN.

CLAC

EST-CE QU'UN JOUR ON SE RÉVEILLE CONVAINCU
D'ÊTRE LA MEILLEURE VERSION POSSIBLE DE SOI-MÊME ?
PEUT-ÊTRE QUE
C'EST PIRE EN FAIT.
ET QU'AU FOND J'AI DE LA CHANCE.

16

16

Réceptio
Closed

MAMAN ?
MAMY !!

MAMAN, OÙ ES-TU ?

C'EST MOI, MAMY, CLÉMENCE !

OÙ SUIS-JE ?

DANS LES BOIS, TU T'ES ENFUIE DE LA CHAMBRE !!

MAIS QUELLE CHAMBRE, BON DIEU ??

BOUHOUHOU...

MADEMOISELLE,
JE VAIS VOUS FAIRE
UNE CONFIDENCE...

PAR MOMENTS,
J'AI L'IMPRESSION QUE
JE PERDS LA TÊTE.

ET ALORS PAPA A RETIRÉ DES PIÈCES À L'AUTO, COMME ÇA LES BOCHES NE POUVAIENT PAS LA PRENDRE !

BON, JE VAIS PAYER.

TU RESTES ICI, TU BOUGES PAS.

BEN OUI, OÙ VEUX-TU QUE J'AILLE...

TILT

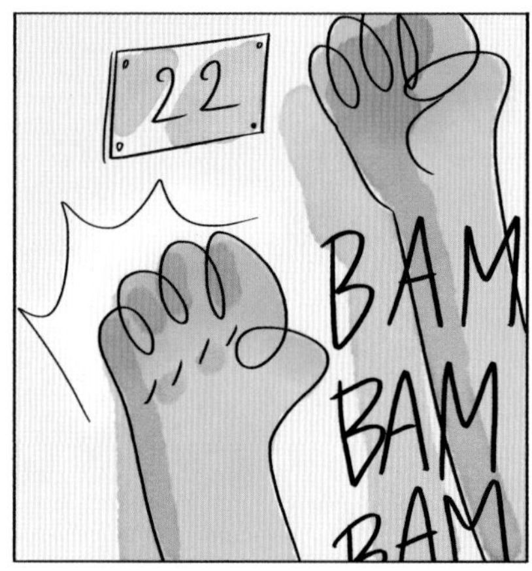
22
BAM
BAM

DIANE ! OUVRE !

PAM
PAM

22

EUH...
PARDON.

PUTAIN DE MEEERDE...

VIENS, ON PART !

TU ES ALLÉE PAYER ?

VROOOM
C'EST ÇA, OUI.

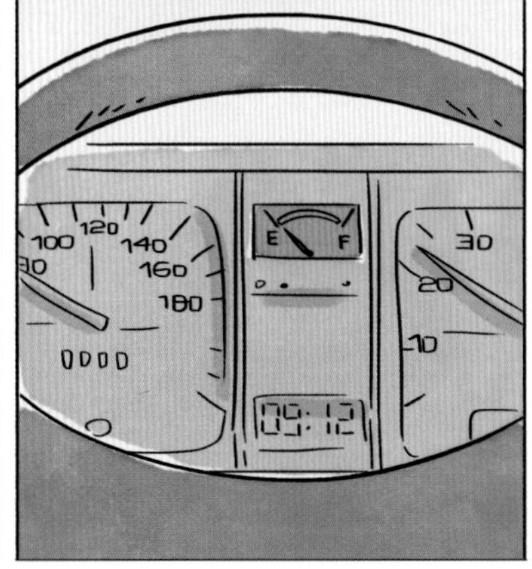
100
120
140
160
180
E
F
30
20
10
09:12

OH PUTAIN, MANQUAIT PLUS QUE ÇA...

QU'EST-CE QUI SE PASSE, CLÉMENCE ?
RIEN.

TU AS L'AIR NERVEUSE, JE LE SENS.
RIEN, T'INQUIÈTE.

BON ALORS SOIT TU ME DIS CE QUI SE PASSE, SOIT TU TE COMPORTES CORRECTEMENT.

OK...
ON N'A PLUS D'ESSENCE, ET ON N'A PLUS D'ARGENT.

AH... IL FAUT DE L'ARGENT POUR FAIRE LE PLEIN.
OUI.
TU AS UNE IDÉE ?

IL FAUT TROUVER DE L'ARGENT.
COMMENT ?

ON N'A QU'À JOUER AU LOTO !

MAIS ENFIN MAMY... C'EST COMPLÈTEMENT ABSURDE...

OUI TU AS RAISON, ON NE SAIT MÊME PAS QUAND SERA LE PROCHAIN TIRAGE.

HÉ MAIS EN FAIT T'AS PAS TORT...

ON N'A QU'À TROUVER UN BAR PMU ET PARIER ! LÀ ON A BEAUCOUP PLUS DE CHANCES DE TOUCHER QUELQUE CHOSE !

J'AI TOUJOURS DE LA CHANCE AUX JEUX, MOI !
PARFAIT !

9 Retiers
Longpré 1

SI Y A PAS UN PMU PLEIN D'ALCOOLOS DANS CE GENRE DE BLED, C'EST QUE VRAIMENT TOUT FOUT LE CAMP COMME DISENT LES VIEUX !

Jupiler
Jupiler
BUS

BONJOUR !
... NON MAIS TOUT FOUT L'CAMP, D'AILLEURS JE REGARDE MÊME PLUS LA TV !

ON AIMERAIT FAIRE UN PARI.

TIERCÉ, QUARTÉ, QUINTÉ ?

EUH...
T'ES MAJEURE AU MOINS ??
EN FAIT J'Y CONNAIS RIEN...

TU VEUX QUOI AU JUSTE ?
ON A BESOIN D'ARGENT.

S'IL TE FAUT DE L'ARGENT LÀ TOUT DE SUITE, C'EST PAS EN PARIANT QU'IL VA TE TOMBER DANS LES MAINS.

LA PROCHAINE COURSE EST DEMAIN.

ET...
VOUS AURIEZ DES DÉS ?

OUI, LE 421 EST SUR LA CHEMINÉE.

QUI EST JOUEUR ?

MOI !

VOUS ÊTES DU COIN ?
NON.
JEAN, SERS-LEUR DEUX CAFÉS, C'EST POUR MOI.

ALORS, QU'EST-CE QU'ON PARIE ?

SI JE GAGNE, TU ME FILES 50 EUROS.

ET SI JE GAGNE ?

LA VOITURE.

TU PARIES TA BAGNOLE ??
J'AI RIEN D'AUTRE !

MOI ÇA ME VA !
J'ESPÈRE POUR TOI QUE T'AURAS SUFFISAMMENT D'HONNEUR POUR PAS TE DÉGONFLER.

TU VAS LE REGRETTER, MA P'TITE.
T'OCCUPE PAS DE ÇA, MIREILLE ! C'EST SON AFFAIRE.

ALORS, QU'EST-CE QU'ON FIXE COMME RÈGLES ?

LE PREMIER À AVOIR FAIT 3 FOIS 421 ?

ÇA ME VA !
50
50 EURO

LES DAMES D'ABORD...

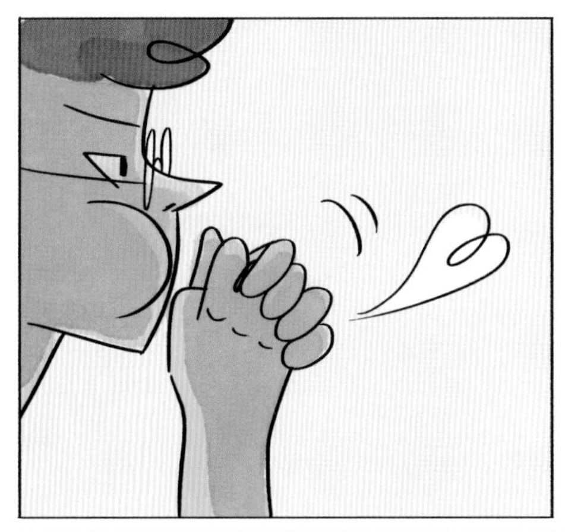

ARRÊTE, CLÉMENCE,
ÇA LAISSE UNE TACHE DE GRAS
SUR LA VITRE.

TU VEUX JOUER
À LA BATAILLE ?
J'EN AI MARRE
DE LA BATAILLE,
ON S'ENNUIE !

TU CONNAIS
LE 421 ?

ENCORE GAGNÉ !
HÉHÉ !
MAIS COMMENT
TU FAIS ?

JE TRICHE !
HAHA !

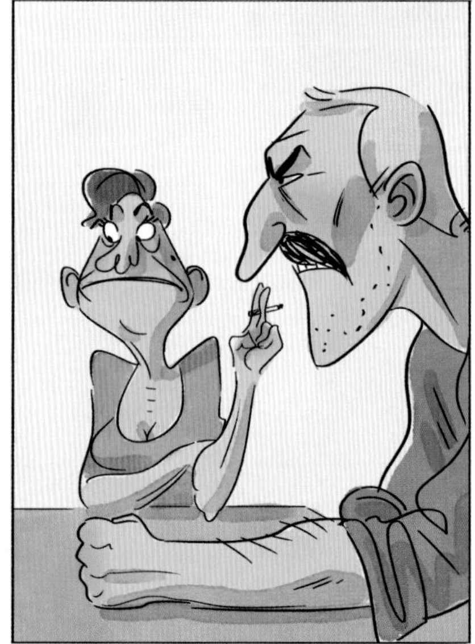

TA MAIN EST ENCORE UN PEU PETITE...

MAIS EN T'ENTRAÎNANT, TOI AUSSI TU RÉUSSIRAS À TOUS LES COUPS.

MAIS COMMENT T'AS APPRIS ÇA ?

AU SERVICE MILITAIRE.

AH, QU'EST-CE QU'ON S'AMUSAIT BIEN LÀ-BAS...

BON BEN J'CROIS QUE TU PEUX ME DONNER LE FRIC MAINTENANT !

VA TE FAIRE FOUTRE, JE SUIS SÛR QUE T'AS TRICHÉ !

QUATRE TÉMOINS NOUS ONT REGARDÉS ET PERSONNE A RIEN REMARQUÉ !

LAISSE TOMBER, C'ÉTAIT UNE BLAGUE TOUT ÇA, REPRENDS TA BAGNOLE ET FOUS LE CAMP !

PUTAIN, DONNE-MOI LE BILLET, ESPÈCE D'ARNAQUEUR !

HÉ HO, ARRÊTEZ !

casse

SPLASH

NON MAIS
ÇA VA PAS,
VOUS ??!

OUCH
PAF

HUMF

FILS DE CHIEN.

PAF

NON !!
ARRÊTEZ !
LÂCHE-MOI,
SALE GOUINE...

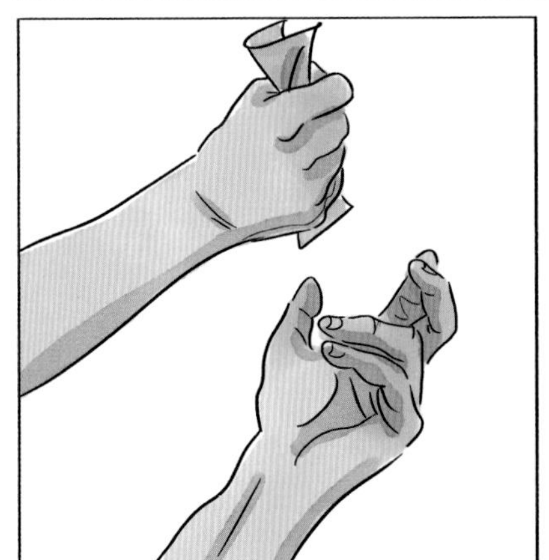

BAM

CRAAAC

J'T'AVAIS PRÉVENUE, MA P'TITE...
RAAAH
FICHEZ LE CAMP, VITE !

J'VAIS TE SUIVRE, SALE GARCE !
J'VAIS TE RETROUVER !!
MICHEL, BON SANG !

C'EST MOI QUE TU MATES, SALE GOUINE ?

ARTHUR NOUS A TOUT RACONTÉ SUR TOI...
HAHA HAHA
HAHA

C'EST INADMISSIBLE !
BON SANG DE BON DIEU, JE RÊVE !
AH, SI JE POUVAIS, JE... JE...
J'EN PERDS MES MOTS !

JE CRÈVERAIS SES PNEUS, TIENS !

ET MON FRIC, PUTAIN ??
LÂCHE L'AFFAIRE, MICHEL, T'AS DÉPASSÉ LES BORNES !

PAN
PAN

VROOOOOOM

Jupiler

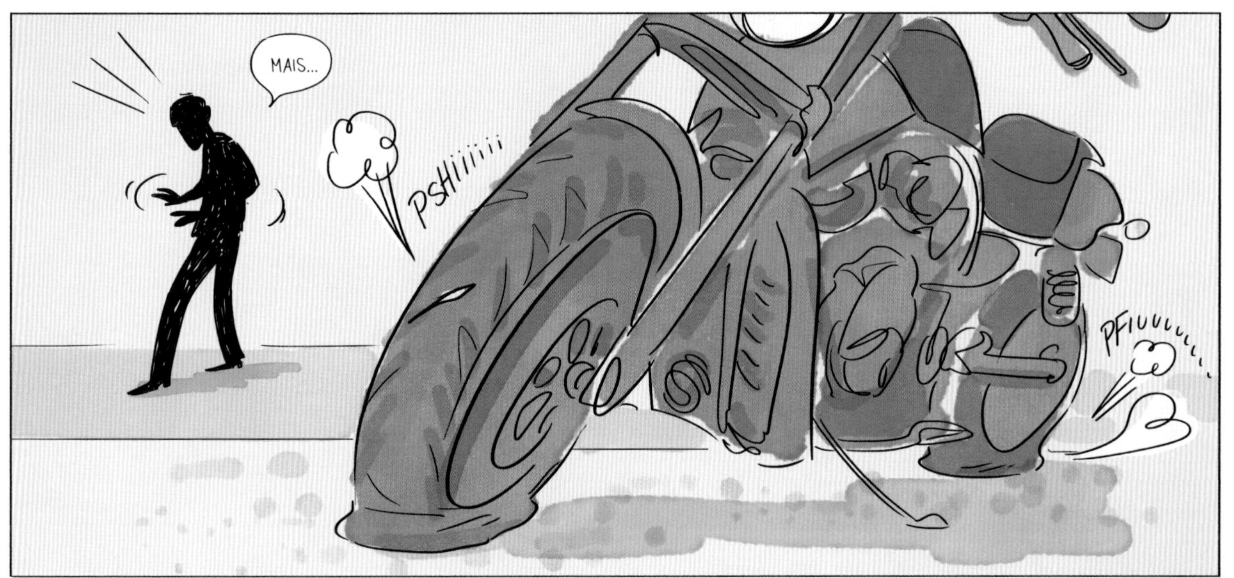
MAIS...
PSHIIIIII
PFIUUUUU

MAIS ELLE
EST FOLLE !!

TU VAS FAIRE
QUOI, MICHEL ?

QU'EST-CE QUE
TU CROIS ? COURIR À PIED
DERRIÈRE ELLES ?
COUILLON !
TAP

J'APPELLE
LES FLICS !!!

VROOOOOM
CRIIIII

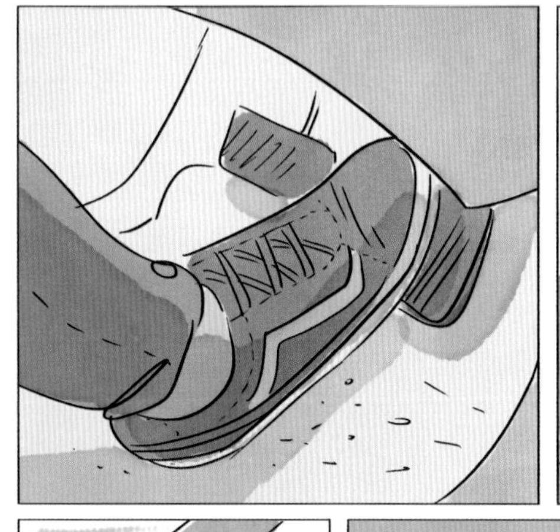

PLUS VITE !!

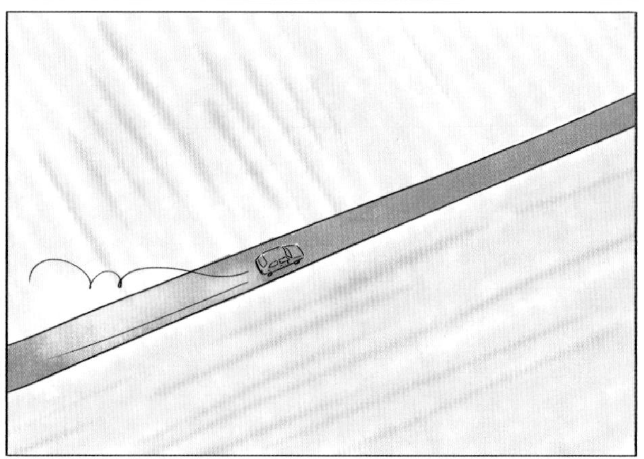

IL L'AURA PAS VOLÉ, CE SALAUD !

ÇA FAIT DU BIEN DE FAIRE JUSTICE SOI-MÊME, POUR UNE FOIS...

J'AVOUE QUE C'EST...
... SATISFAISANT !

EST-CE QU'ON EST DES GANGSTERS ?
JE CROIS BIEN, OUI !

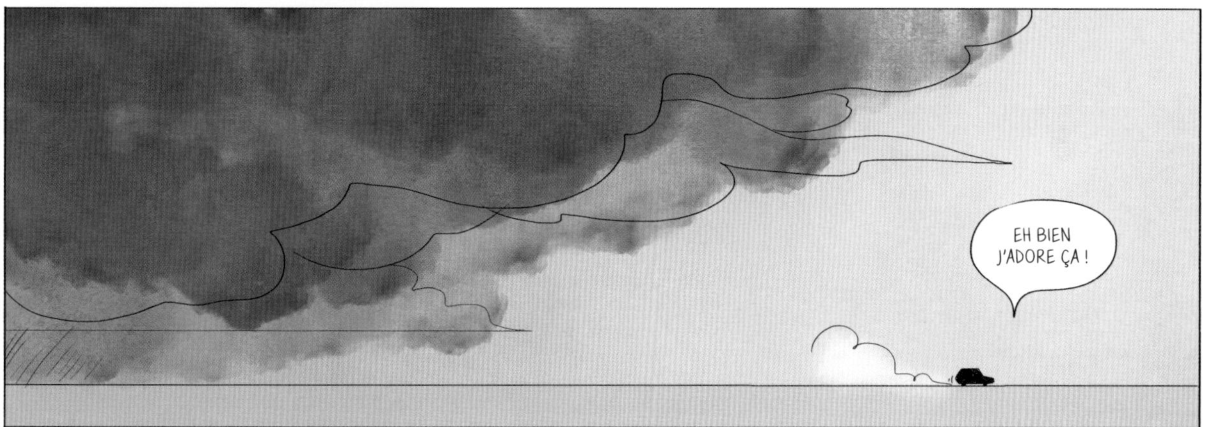
EH BIEN J'ADORE ÇA !

IL VA EN TOMBER
UNE BONNE.
?
CLÉMENCE !
ATTENTION !!

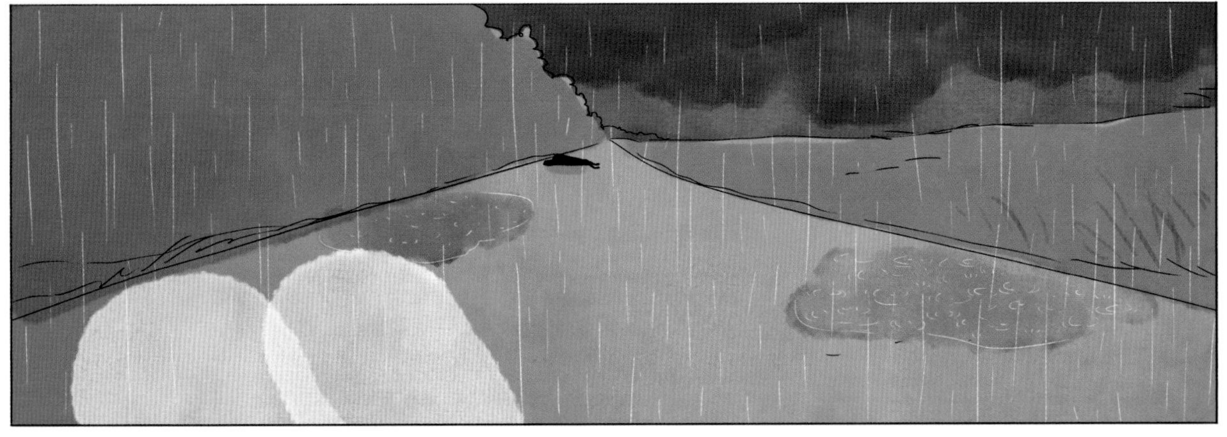

VA VOIR.

PAS
TOUTE SEULE.

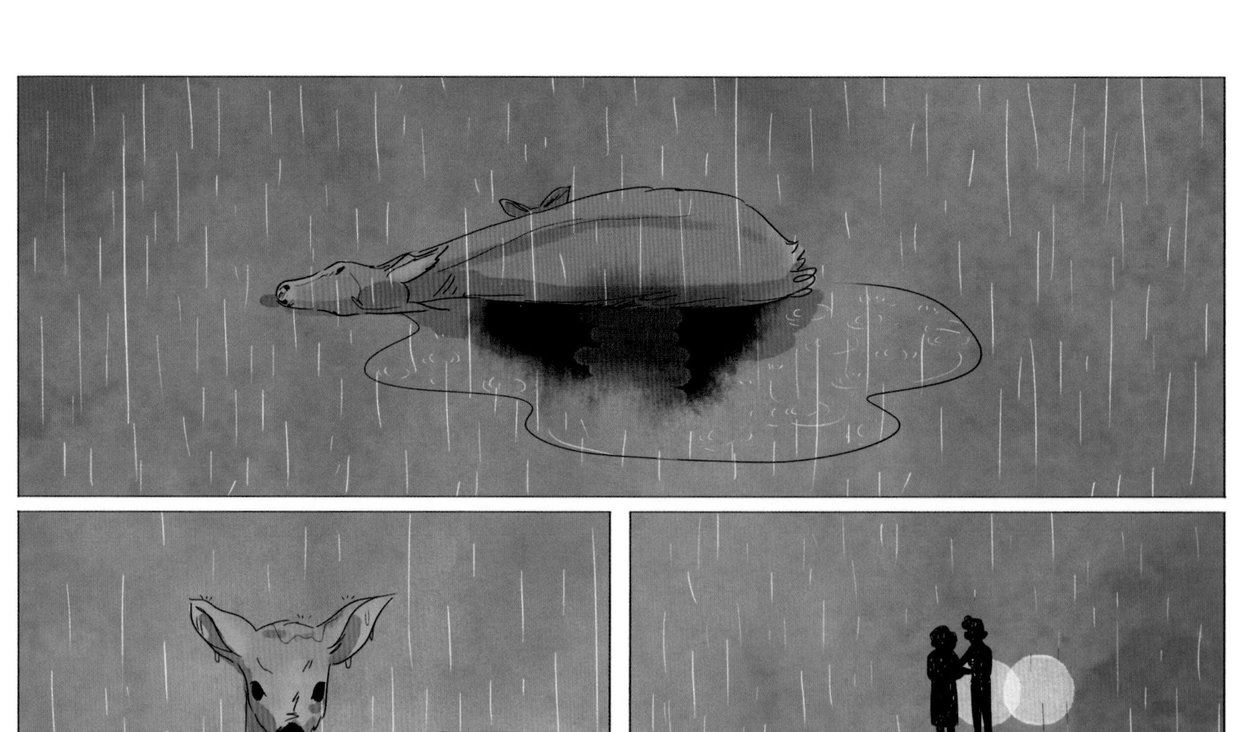

VIENS, NE RESTONS PAS ICI.

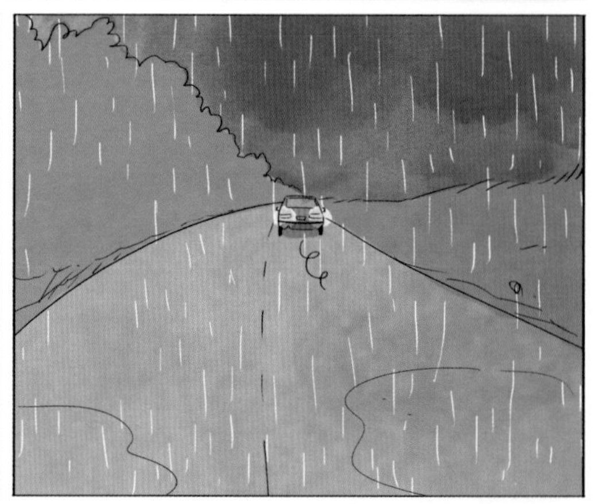

JE ME SUIS MISE
À PENSER À MA MÈRE.
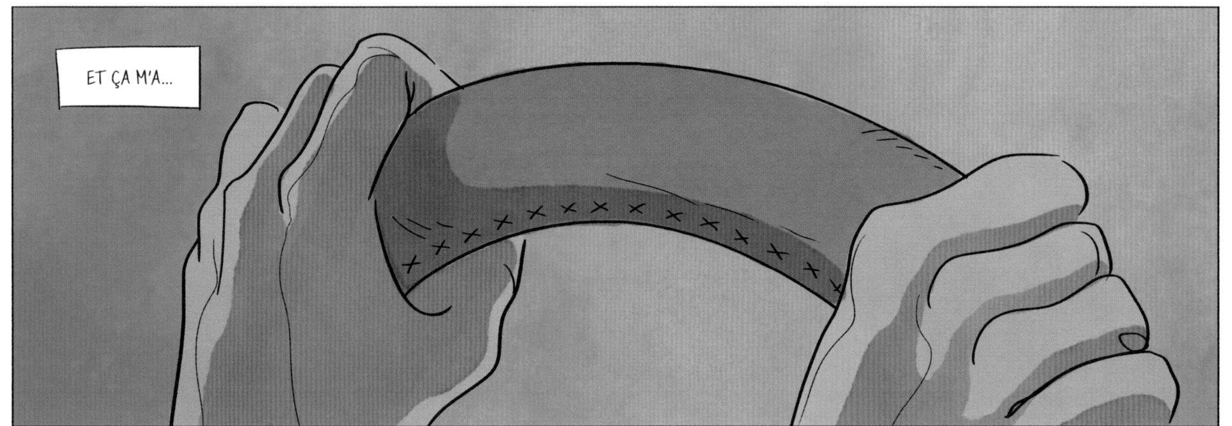
ET ÇA M'A...

ÇA VOUS FAIT QUOI, VOUS,
DE PENSER À VOTRE MÈRE ?

EST-CE QUE
ÇA VOUS REND TRISTE ?

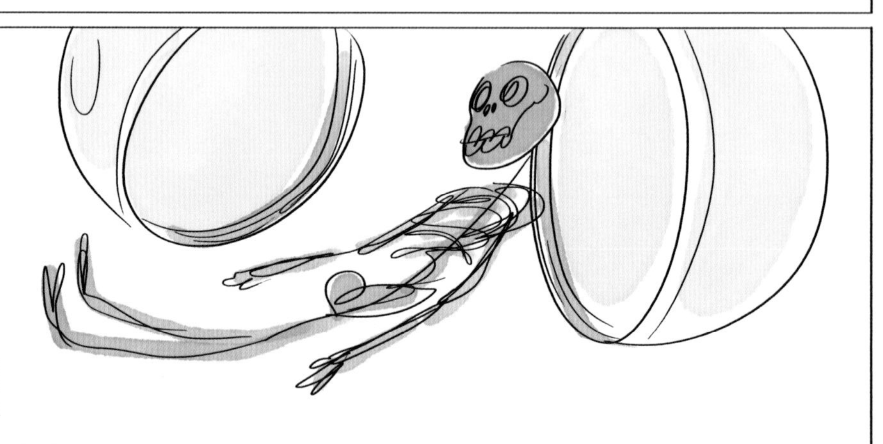

NOSTALGIQUE ?

LE MERCREDI, C'ÉTAIT ELLE QUI VENAIT ME CHERCHER À L'ÉCOLE
ET ELLE ME PRÉPARAIT DE PETITS MORCEAUX DE BLANC DE POULET AVEC DU RIZ.

LE MERCREDI ÉTAIT MON JOUR PRÉFÉRÉ.

JE N'Y VOIS PLUS RIEN.
MOI NON PLUS.
EST-CE QU'APRÈS... APRÈS CE...
ALLEZ, COMMENT DIRAIS-JE DONC...
APRÈS CE QU'ON EST EN TRAIN DE FAIRE, JE VEUX DIRE, EST-CE QUE JE RETOURNERAI LÀ-BAS ?
LÀ-BAS OÙ ? CHEZ TOI ?
MAIS NON, LÀ OÙ IL Y A LES ESPÈCES DE BONNES SŒURS ...

JE NE SAIS PAS.

JE NE VEUX PLUS JAMAIS
Y RETOURNER,
TU M'ENTENDS ?
JE PRÉFÈRE
ENCORE MOURIR.

BROOOOMM

VALÉRIE EST NÉE PENDANT UN ORAGE EXACTEMENT COMME CELUI-CI.

ON N'A PAS EU LE TEMPS D'ARRIVER À L'HÔPITAL.

J'AI ACCOUCHÉ DANS LA VOITURE, SUR LA BANQUETTE ARRIÈRE.

APRÈS ON S'EST ARRÊTÉS DANS UNE FERME.
C'EST LA FERMIÈRE QUI A COUPÉ LE CORDON.

QUEL ÂGE A-T-ELLE MAINTENANT ?

QUI ÇA ?

VALÉRIE…
J'AI OUBLIÉ.

52.

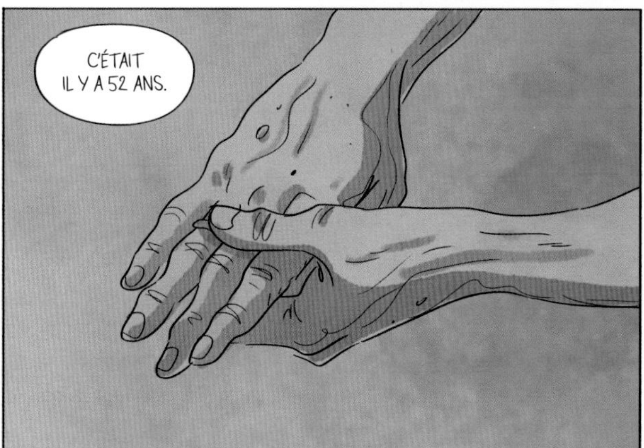
C'ÉTAIT
IL Y A 52 ANS.

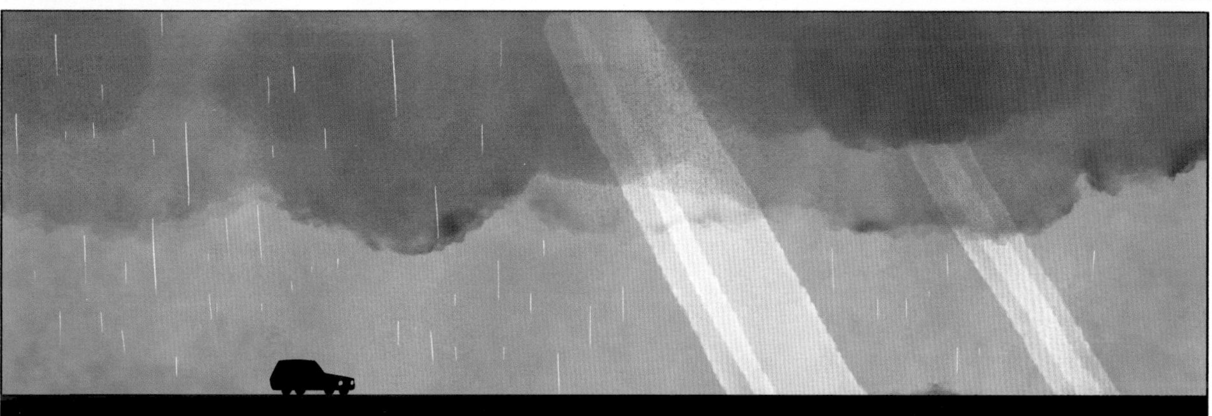

CLIC
VROO

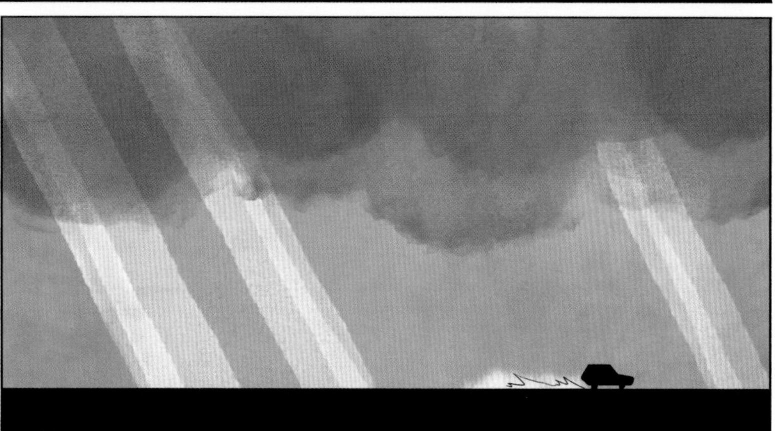

Shell
Shell Shop

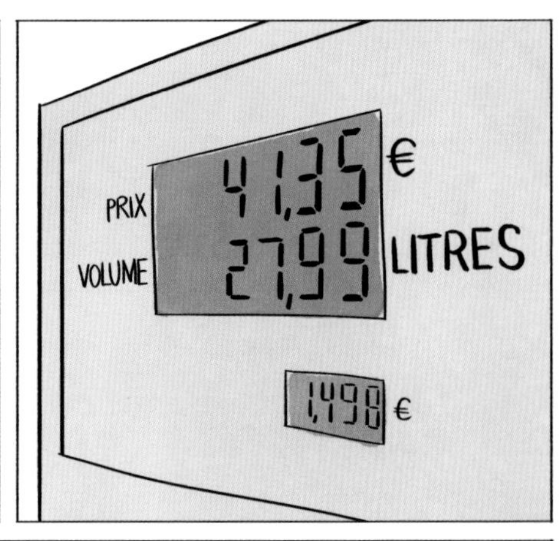
41,35 €
PRIX
VOLUME
27,99 LITRES
1,498 €

ON PEUT ACHETER DES BOUNTY ?

Caisse

PROMO

France

ET UN TIMBRE, S'IL VOUS PLAîT.

C'EST POUR QUI LA CARTE ?

POUR PAPA. JE NE ME SOUVIENS MÊME PAS DE LA DERNIÈRE FOIS QUE JE L'AI VU !

C'EST MARRANT QUE T'AIES JUSTEMENT CHOISI CELLE-LÀ...
greetings from...
France

POURQUOI DIS-TU ÇA ?

ON DIRAIT LA STATION BALNÉAIRE OÙ, TOI ET GRAND-PÈRE, VOUS NOUS EMMENIEZ QUAND ON ÉTAIT PETITS, AVEC LES COUSINS.

AH BON ?
ÇA ALORS...
ÇA NE ME DIT PLUS RIEN.

ON EST
ENCORE LOIN ?

NON, ON EST
PRESQUE
À LA CÔTE.

J'AI HÂTE DE
REVOIR LA MER.

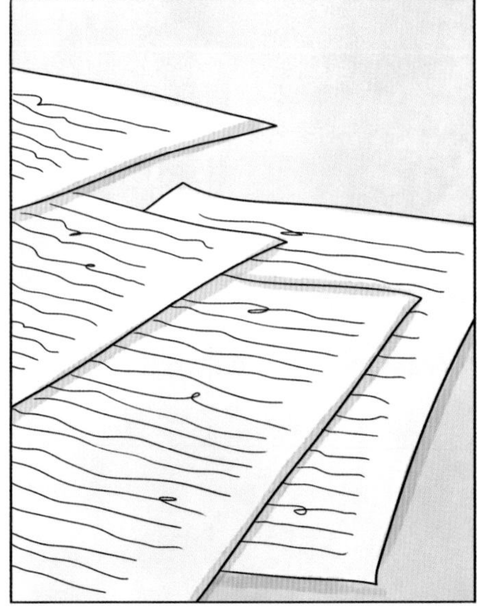

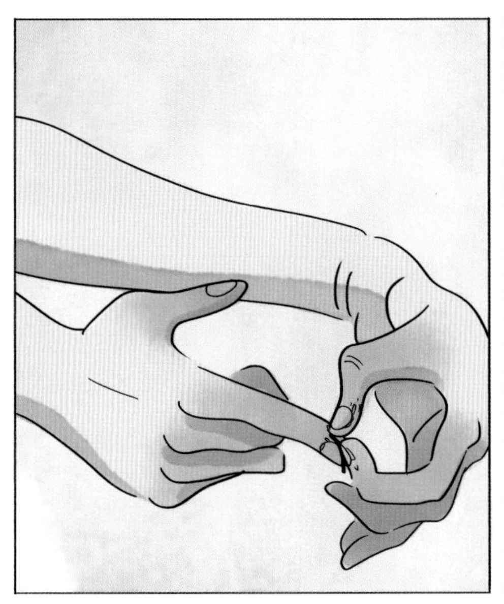

ON A ENCORE ROULÉ TOUT L'APRÈS-MIDI.
ELLE ÉTAIT TRÈS SILENCIEUSE.

ELLE REGARDAIT PAR LA FENÊTRE.

AU FOND, JE ME DEMANDE À QUOI ELLE POUVAIT BIEN PENSER.

ET PUIS, LA MER A SURGI.

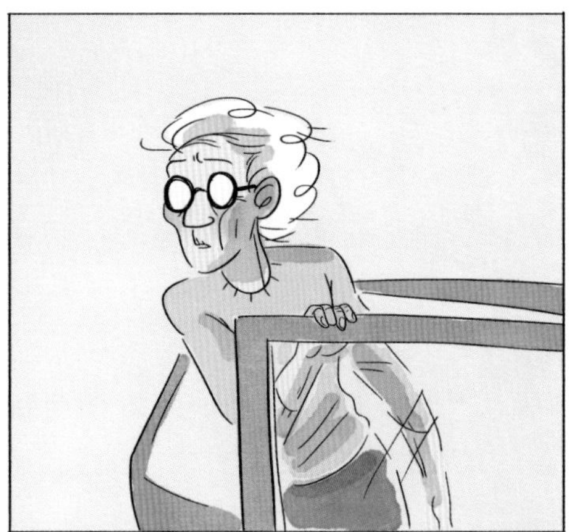

JE CROYAIS
NE JAMAIS
LA REVOIR.

TU SAIS QUELLE EST LA DERNIÈRE CHOSE QUE MA MÈRE M'AIT DITE ?

NON.

«MARIE-LOUISE, EMBRASSE LA MER POUR MOI.»

CHAQUE FOIS QUE JE VOIS LA MER, JE PENSE À ELLE ET À CETTE PHRASE.

SI ON ALLAIT VRAIMENT EMBRASSER LA MER ?

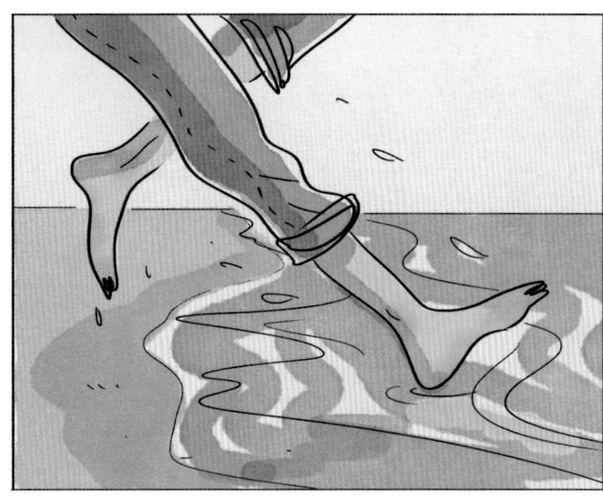
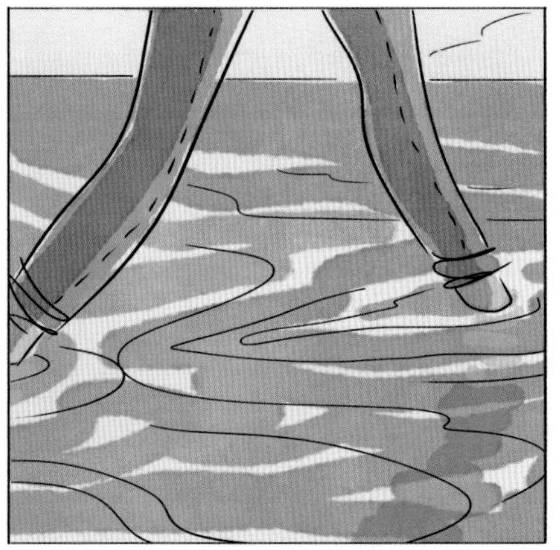

MON DIEU,
C'EST SI BON...

CLÉMENCE,
JE ME SENS VIVRE
PLUS QUE JAMAIS !

JE SENTAIS L'EXCITATION
FAIRE BATTRE MES TEMPES.

MON CŒUR BONDISSAIT À CHAQUE VAGUE
QUI S'ÉCRASAIT DEVANT NOUS.

JE ME SENTAIS VIVRE
TRÈS FORT, ICI, ET MAINTENANT.

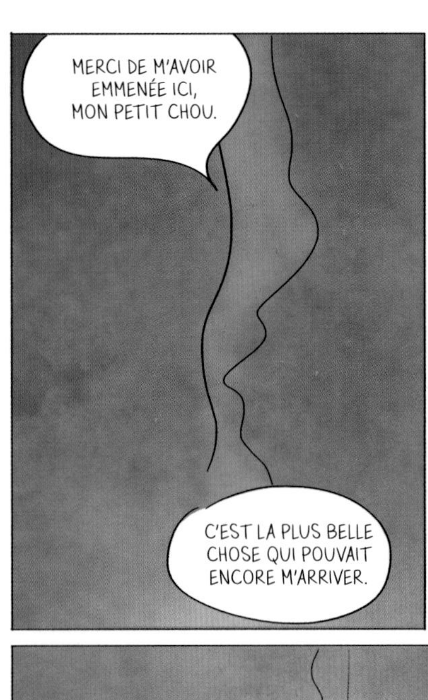
MERCI DE M'AVOIR EMMENÉE ICI, MON PETIT CHOU.
C'EST LA PLUS BELLE CHOSE QUI POUVAIT ENCORE M'ARRIVER.

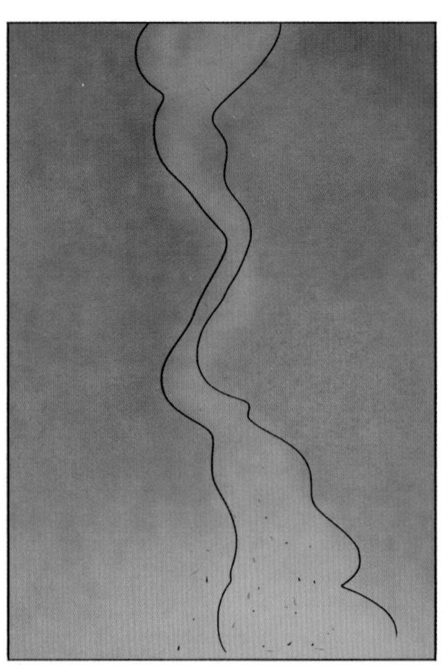

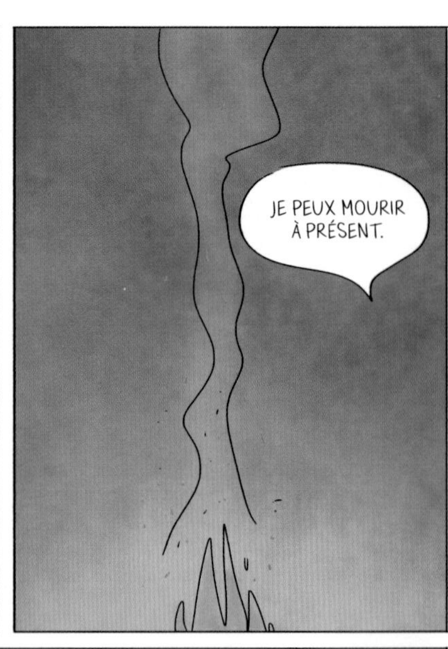
JE PEUX MOURIR À PRÉSENT.

ARRÊTE, NE DIS PAS ÇA.

ÇA VA ARRIVER.
D'AILLEURS JE N'EN SERAI PAS MÉCONTENTE.

MAIS BON, C'EST COMME ÇA...

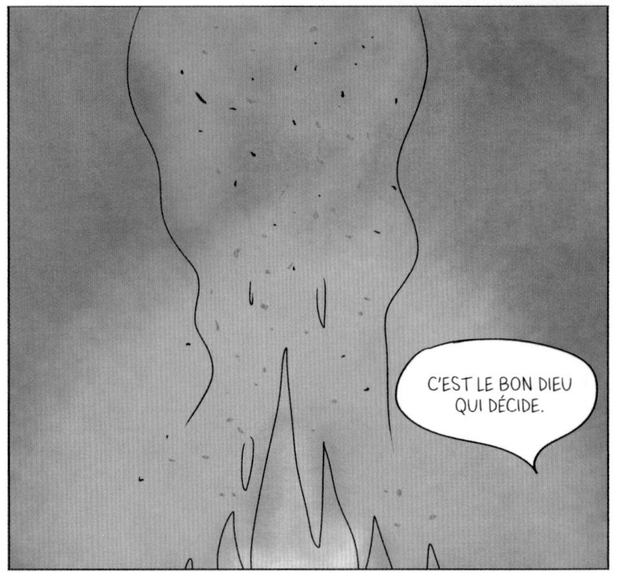
C'EST LE BON DIEU QUI DÉCIDE.

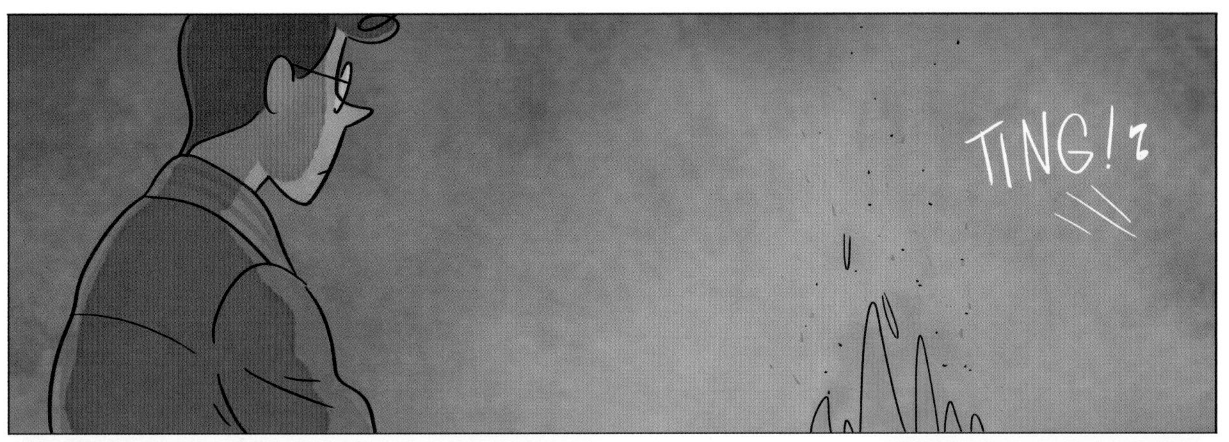
TING!

TING

HÉ, MAIS... C'EST LA SONNETTE DE L'HÔTEL !

PAS DU TOUT !! QU'EST-CE QUE TU RACONTES ??
QUEL HÔTEL, D'ABORD ?

ELLE EST À MOI DEPUIS TOUJOURS, C'EST MAMAN QUI ME L'A OFFERTE !

TSSSS...

JE REPENSAIS À DIANE...

ET AU GOÛT DE SA PEAU.

C'EST MOI QUE TU MATES, SALE GOUINE ?

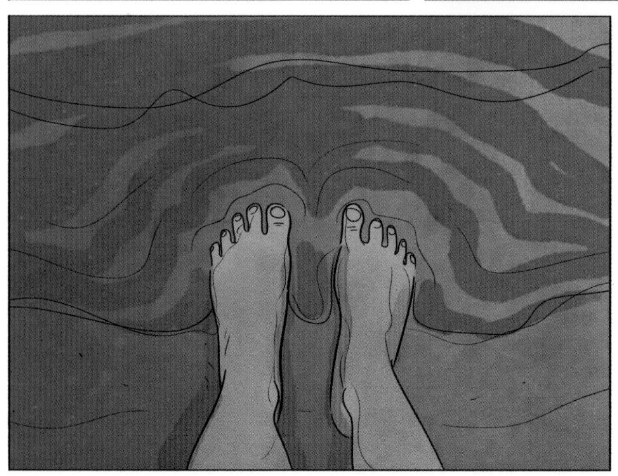

ÇA A ÉTÉ TA SEMAINE ?
OUI.

TU AVAIS UNE INTERRO DE MATH, NON ?
OUI.

AH, ET ÇA S'EST BIEN PASSÉ ?
OUI.

ET À PART ÇA ?

À PART ÇA QUOI ?

JE NE SAIS PAS, MOI, QUELQUE CHOSE QUI SORTE DE L'ORDINAIRE...

RIEN QUI SORT DE L'ORDINAIRE, NON.

OÙ SOMMES-NOUS ?

ON EST PRESQUE CHEZ TOI.

ÇA ALORS...

ÇA N'A PAS CHANGÉ, TIENS !

POC

MERCI.

ALORS ? QUE S'EST-IL PASSÉ ENSUITE ?

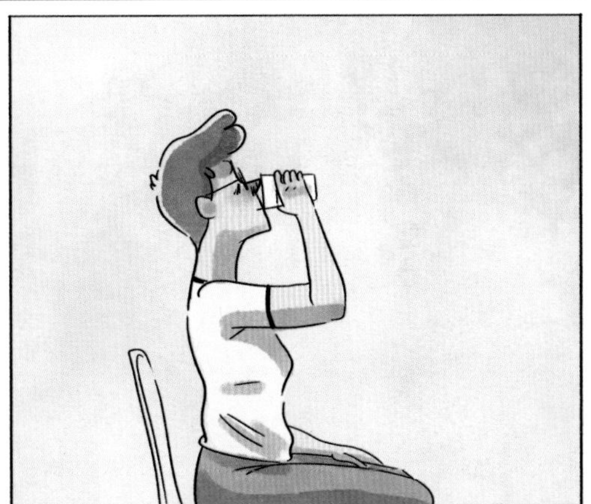

IL RESTAIT 200 KM…

JE VOULAIS LES FAIRE D'UNE TRAITE.
J'AVAIS HÂTE D'ARRIVER.

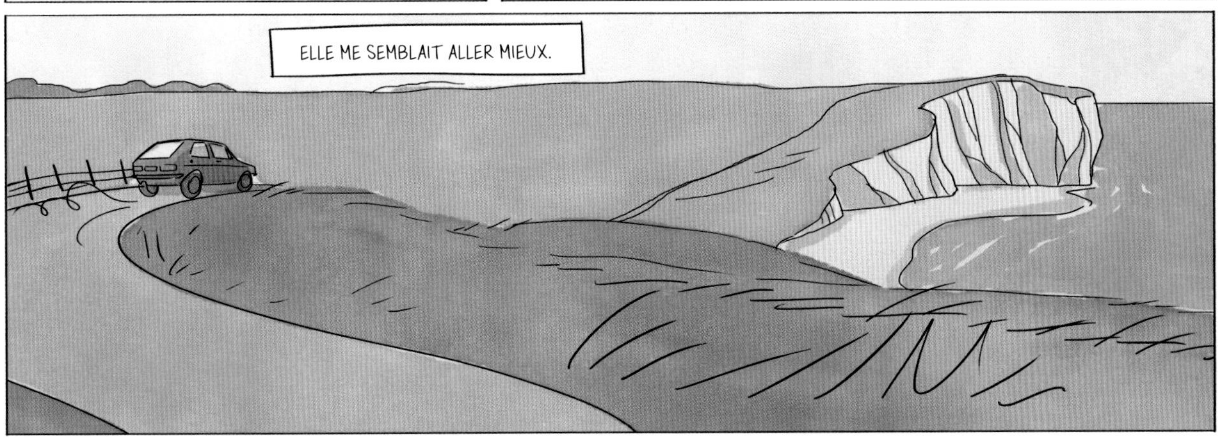
ELLE ME SEMBLAIT ALLER MIEUX.

ENFIN, JE CROIS...
J'AI TELLEMENT HÂTE DE TE PRÉSENTER À MAMAN !

TU NE L'AS JAMAIS RENCONTRÉE, N'EST-CE PAS ?

AH, TU VERRAS, JE SUIS SÛRE QUE PAPA EN PROFITERA POUR JOUER UN MORCEAU DE PIANO !

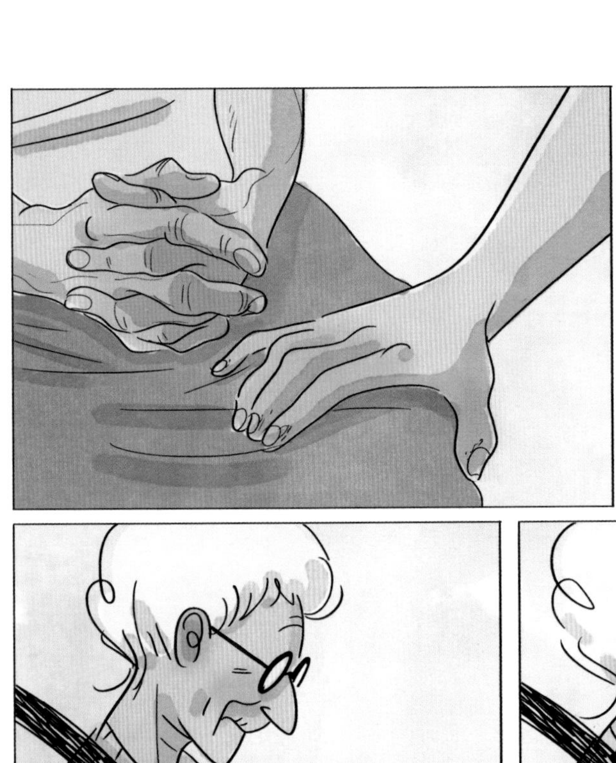

MAMY…

QU'Y A-T-IL ?

BEAUCOUP DE TEMPS A PASSÉ, TU TE SOUVIENS ?

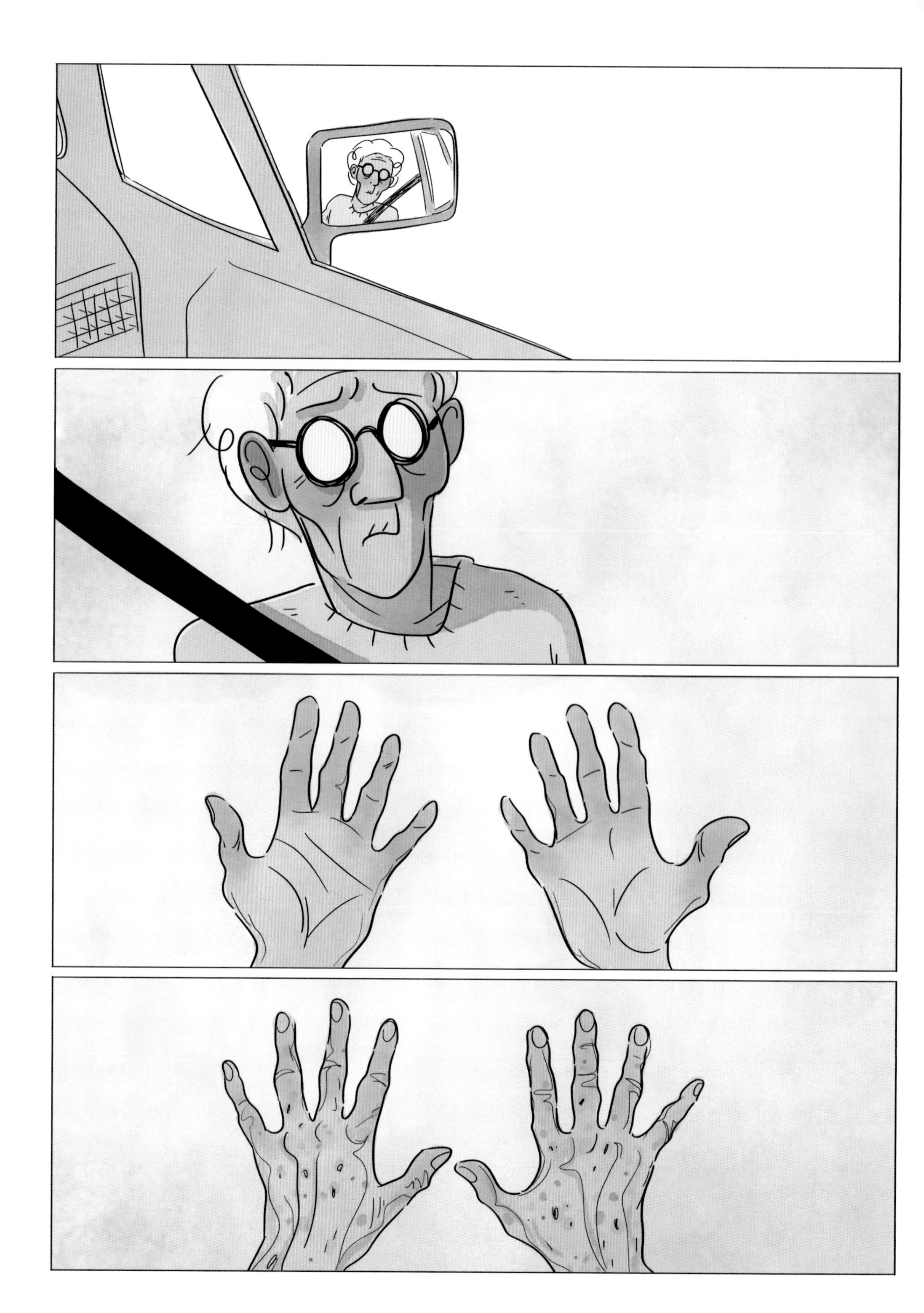

MAMAN NE SERA PAS LÀ, PAS VRAI ?

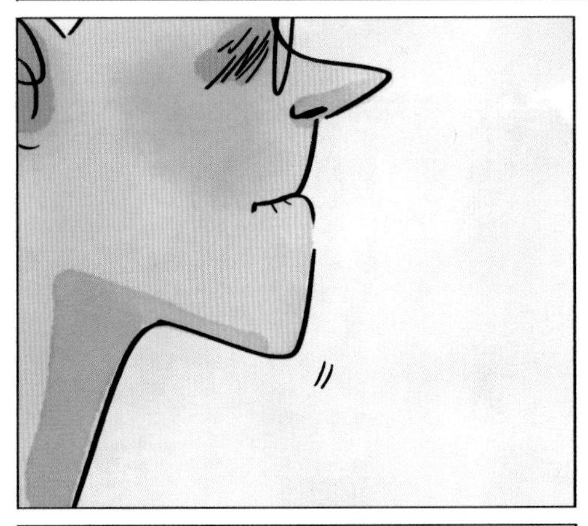

NON, MAMY.
EN EFFET, ELLE NE SERA PAS LÀ.

ET PAPA NON PLUS.
ILS SONT MORTS, C'EST ÇA ?

OUI.

...

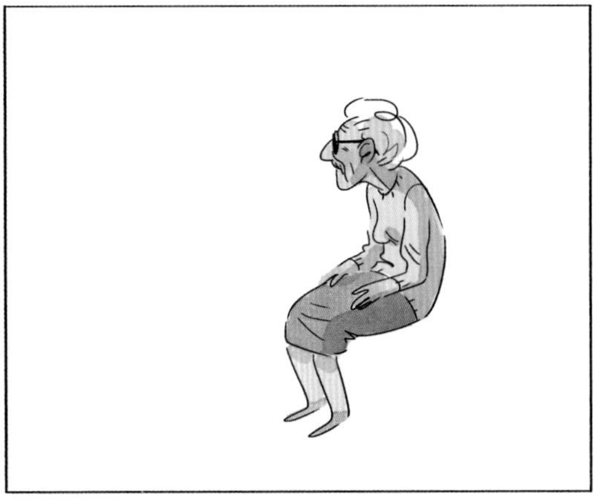

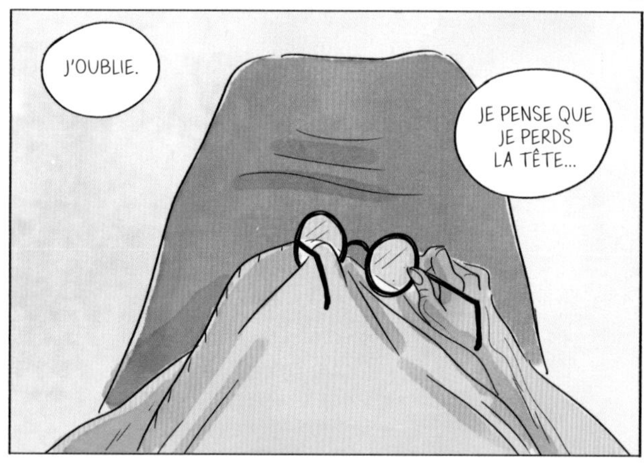
J'OUBLIE.
JE PENSE QUE JE PERDS LA TÊTE...

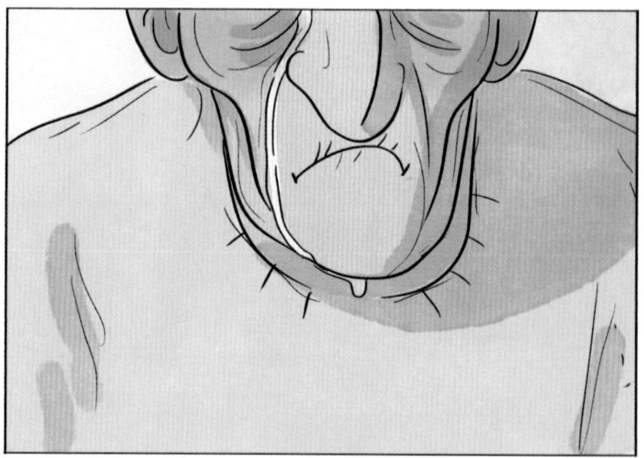

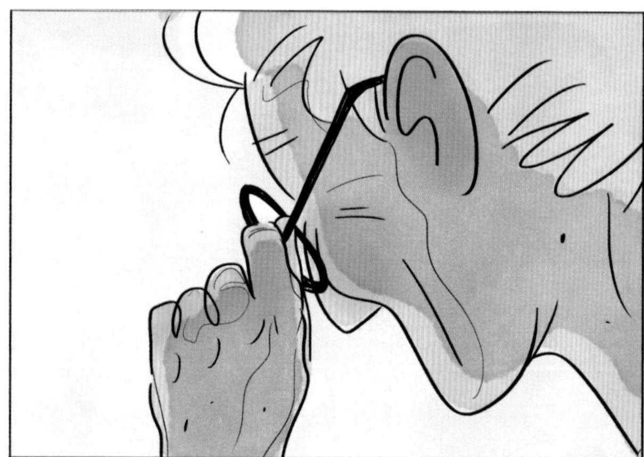

MAIS LE PIRE, C'EST QUAND ÇA ME REVIENT.

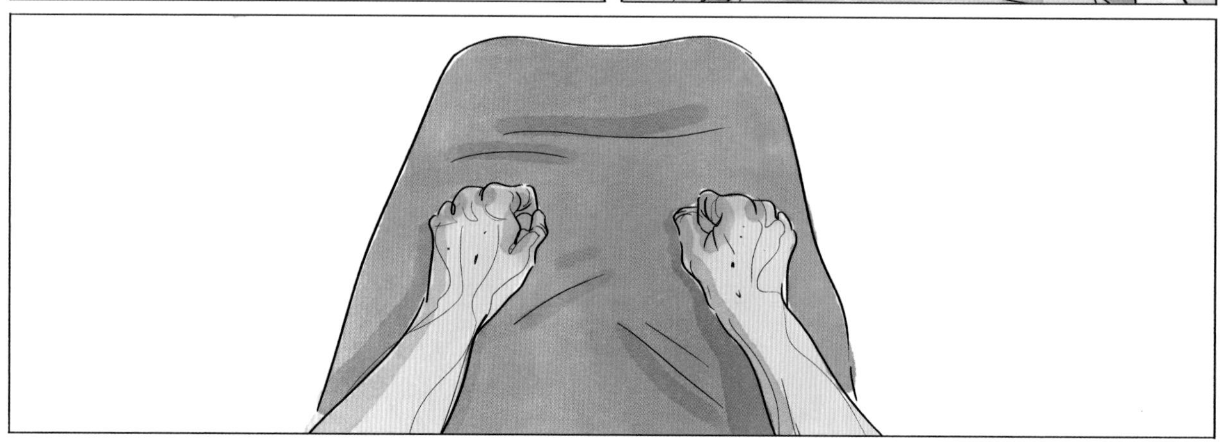

J'AI JAMAIS DIT À MAMAN CE QUE J'AVAIS À LUI DIRE.

ALORS QUE J'EN AI EU MAINTES FOIS L'OCCASION.

«TROP TARD» ARRIVE PLUS VITE QU'ON LE CROIT.

PROMETS-MOI DE NE JAMAIS OUBLIER ÇA, CLÉMENCE.

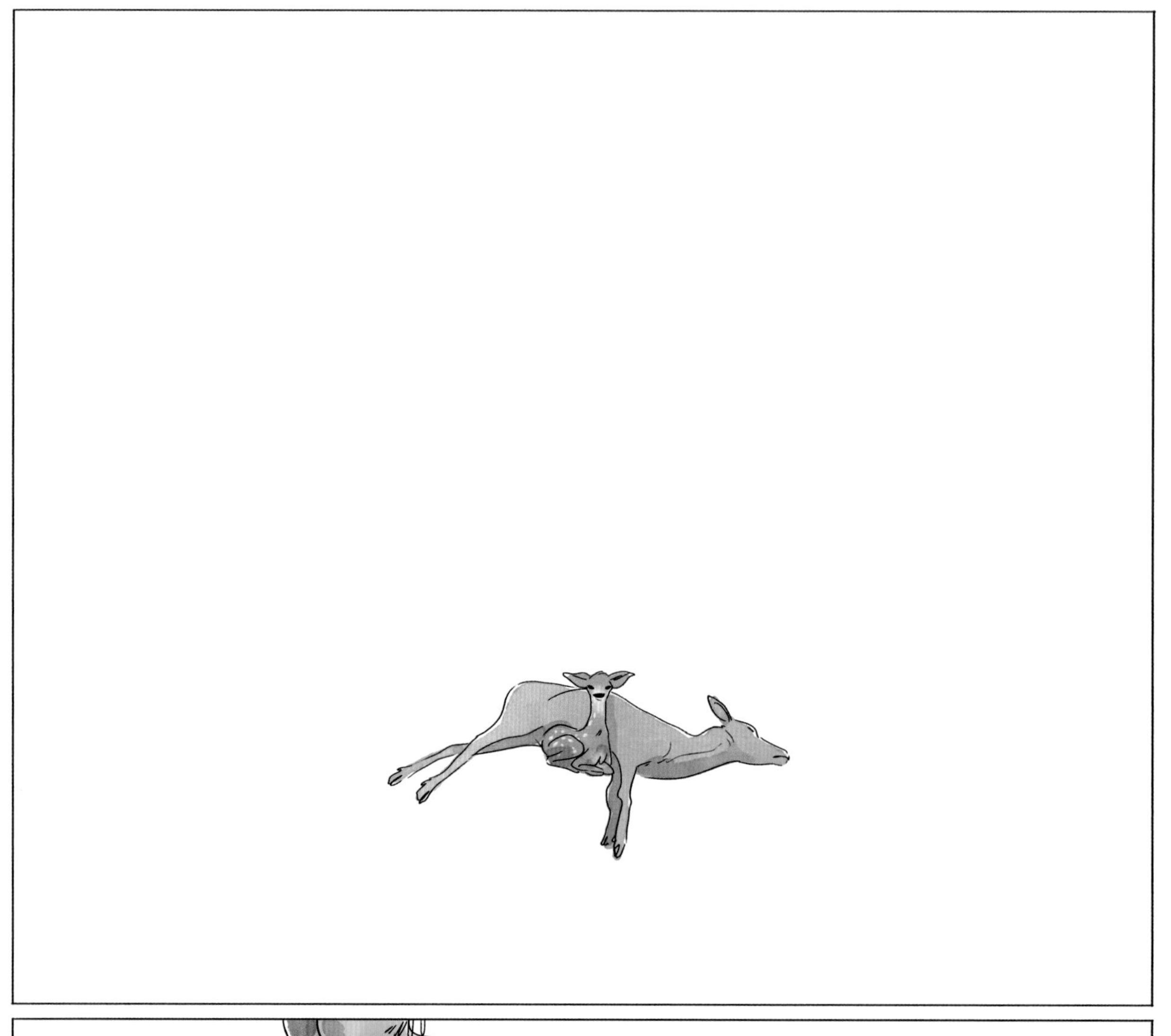

HAHAHA

HAHAHA

SMACK

QUE NOUS EST-IL ARRIVÉ ?

«TROP TARD» ARRIVE
PLUS VITE QU'ON LE CROIT.

BAANG
CRIIIIII

CRIIIIIII
BOM

MAMY ?
MAMY, ÇA VA ?
KOF KOF
AÏE...
MA JAMBE...

MON SAC ?
OÙ EST MON SAC ??

OÙ VAS-TU ?

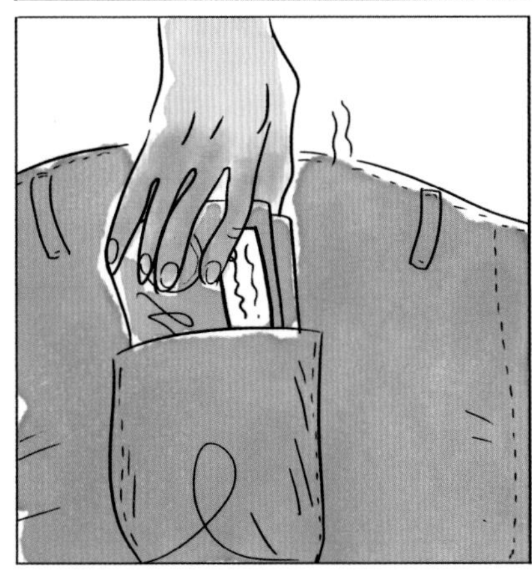

POF

PAF
PAF

ESPÈCE DE CONNE !
PAF

QU'EST-CE QUE TU CROYAIS ?

QU'EST-CE QUE T'ESPÉRAIS ?
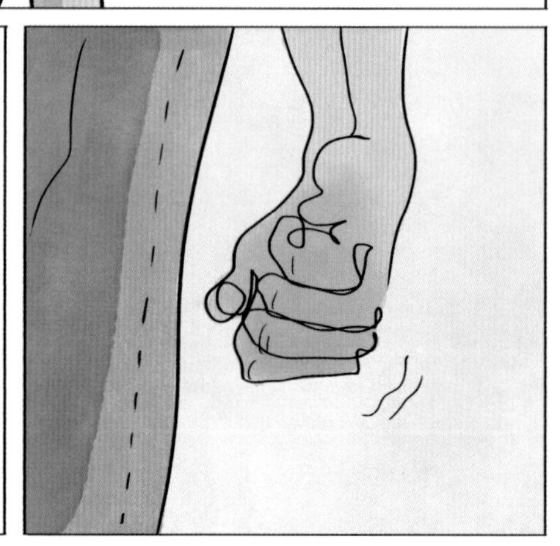

ÇA SUFFIT. ON RENTRE.
QUOI ?

OH NON, CLÉMENCE !

JE SAIS OÙ
NOUS SOMMES !

IL NE RESTE
QUE QUELQUES
KILOMÈTRES !

JE CONNAIS
LE CHEMIN...

C'EST JUSTE AU BOUT
DE CETTE ROUTE !

EMMÈNE-MOI !

PAPA ET MAMAN
VONT S'INQUIÉTER...

JE N'AI MÊME PAS
MON SAC...

JE DOIS RENTRER
CHEZ MOI.

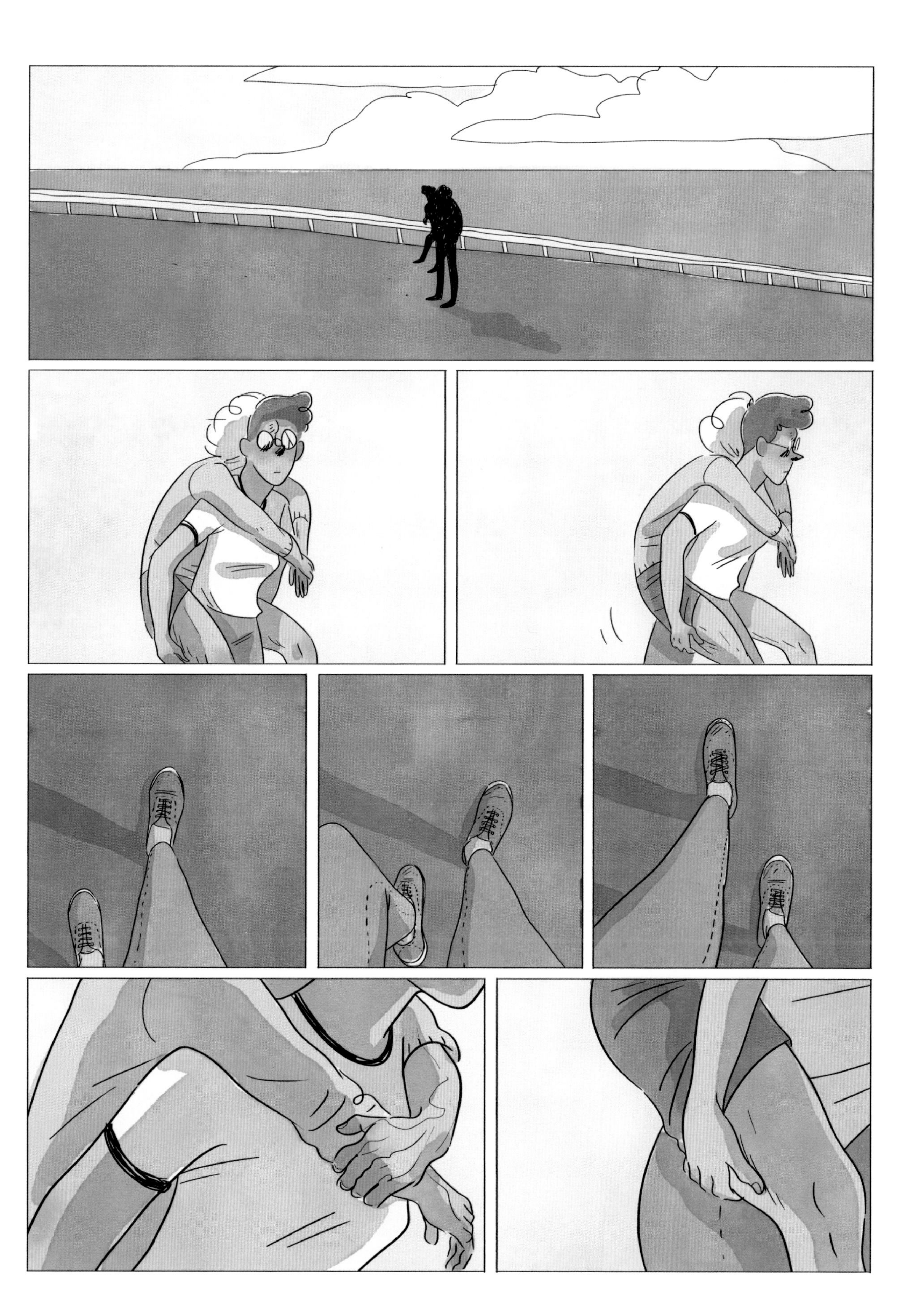

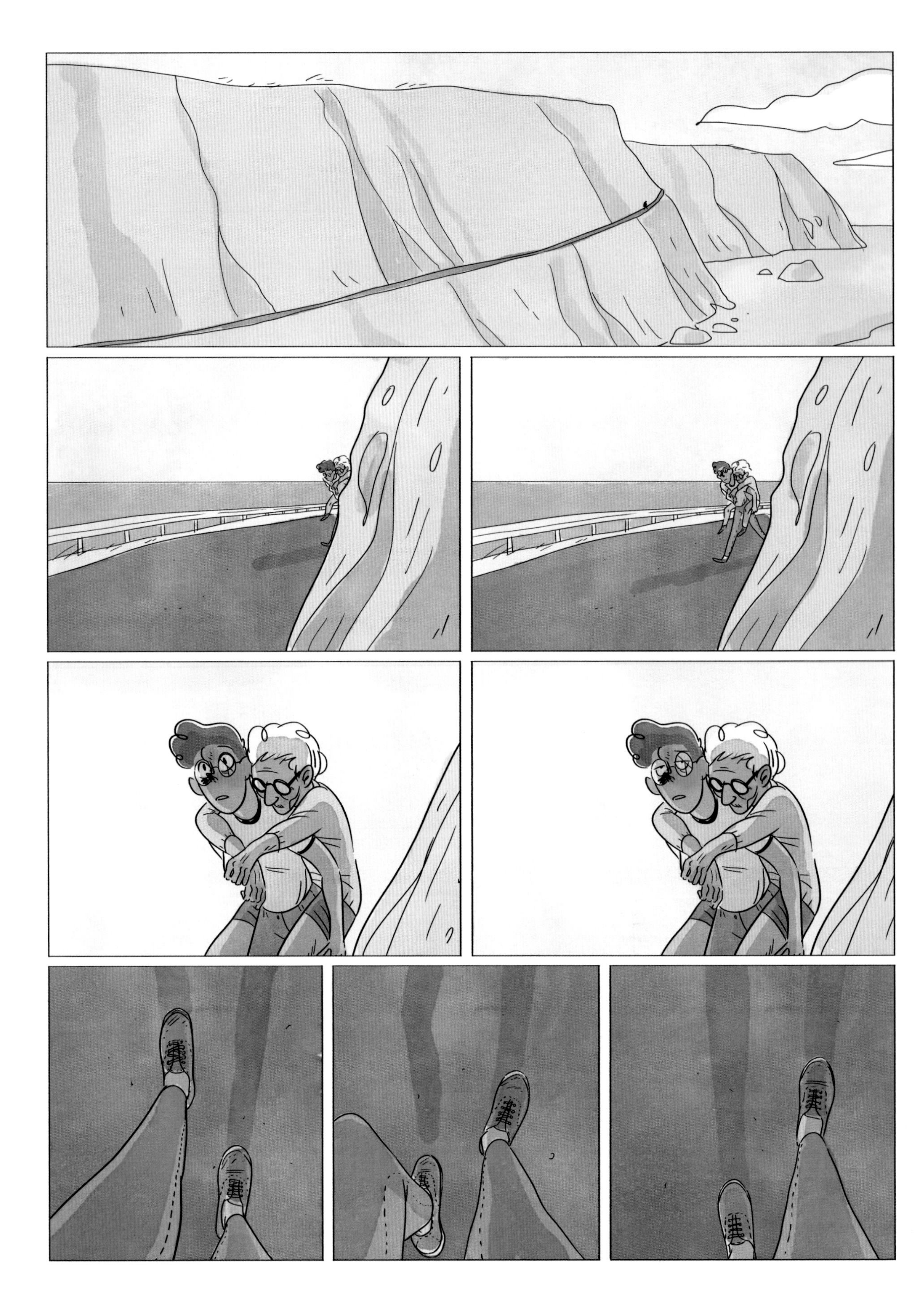

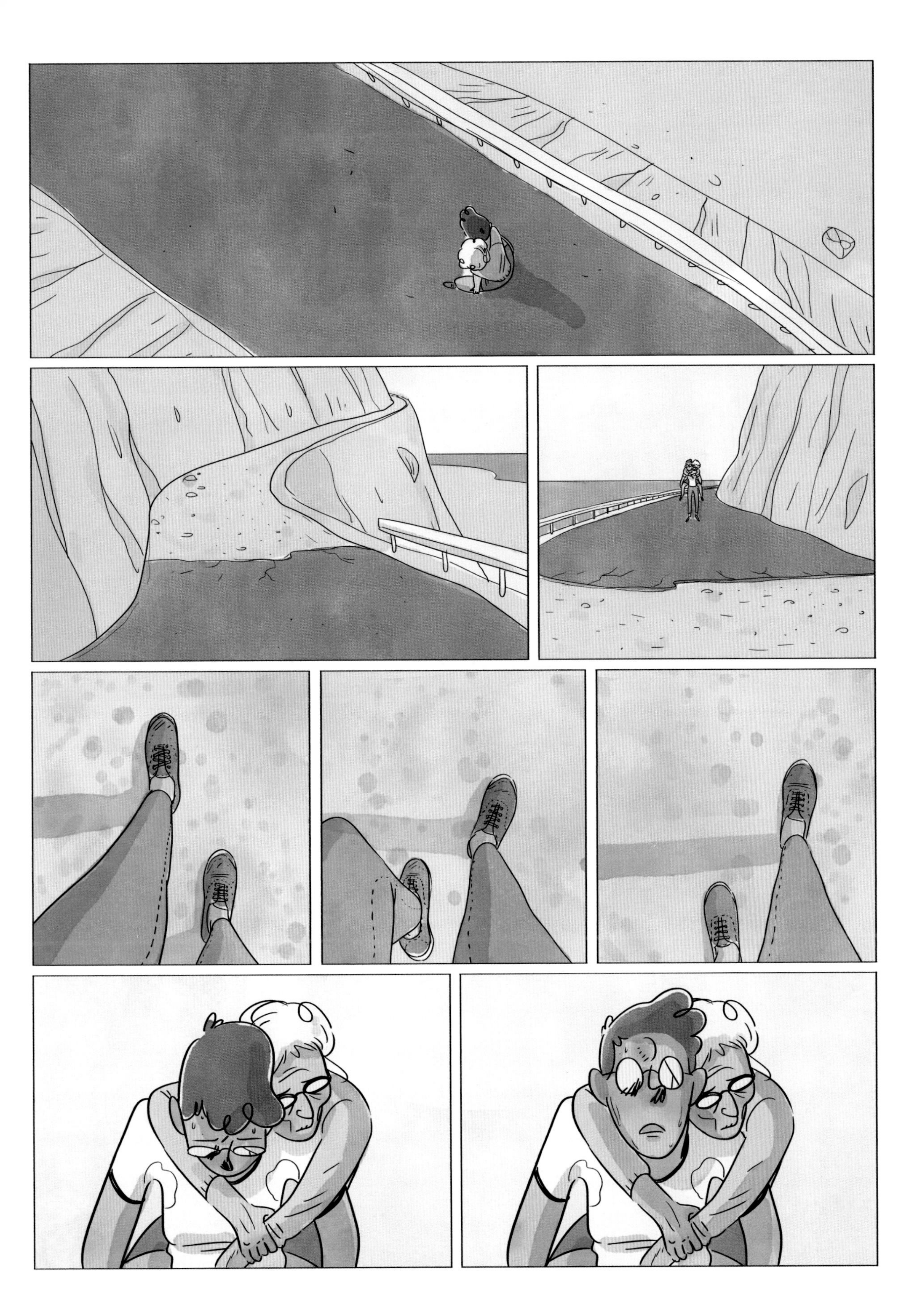

POF

CRRRRRRRRR
CCRRRR

Je t'aimes
très fort
Mamycha

LES AUDITIONS SONT TERMINÉES. LA PROCÉDURE SUIT SON COURS.
VOUS SEREZ TENUE AU COURANT.

EN ATTENDANT, ÉVITEZ DE FAIRE DES VAGUES.

J'ÉVITERAI.

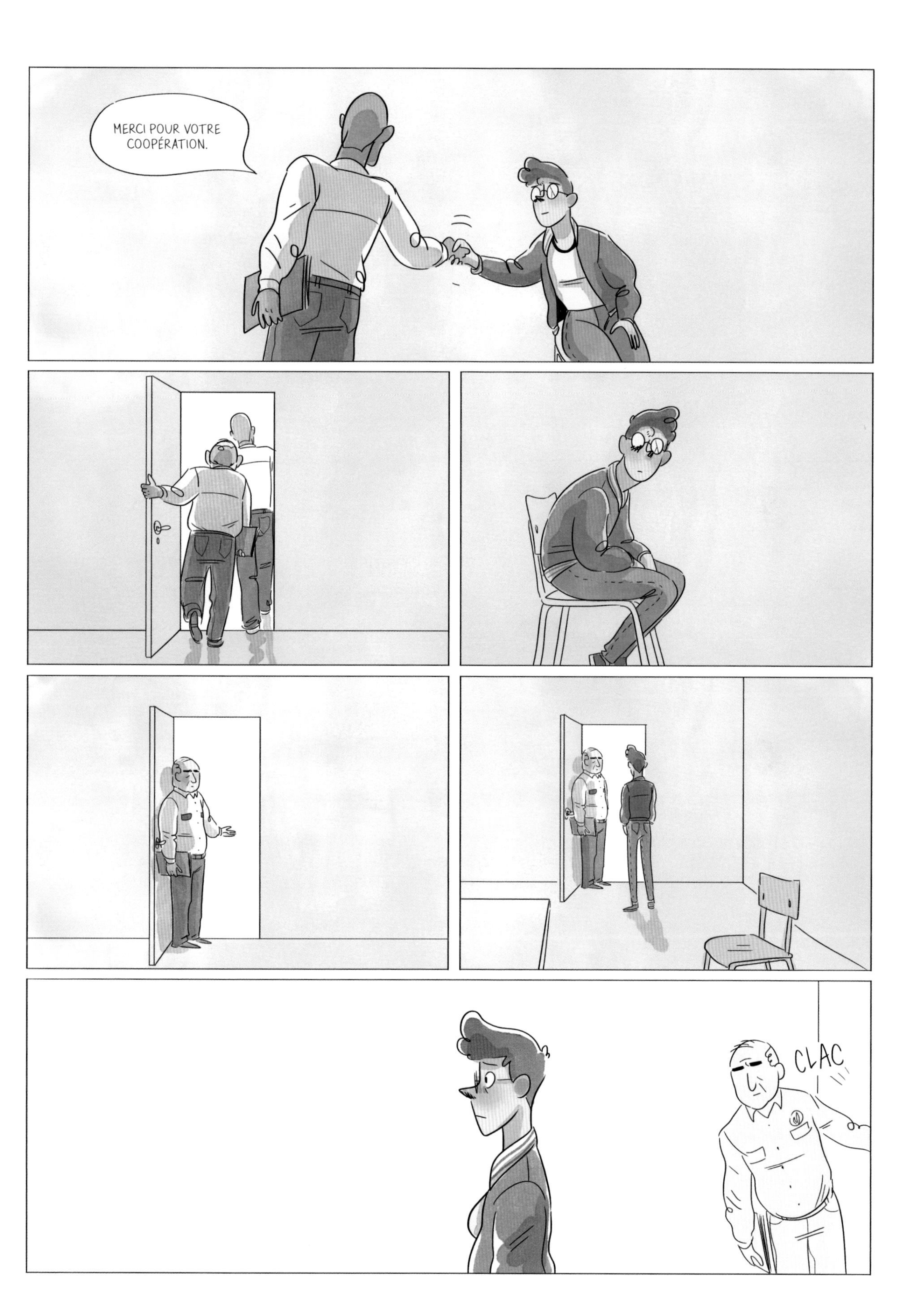
MERCI POUR VOTRE COOPÉRATION.
CLAC

J'AI BEAUCOUP DE CHOSES À LUI DIRE.

ÉPILOGUE

VOUS AVEZ FAIT UN TRAVAIL FORMIDABLE !

C'EST VRAI QU'ON S'EN TIRE À BON COMPTE, JE SUIS TRÈS SATISFAIT.
MÊME SI LES AMENDES ÉTAIENT INÉVITABLES...

ON SE DÉBROUILLERA.
L'IMPORTANT, C'EST D'AVOIR EU LE SURSIS.
JE VOUS COMPRENDS.

JE DOIS FILER. APPELEZ MON CABINET POUR REPRENDRE RENDEZ-VOUS ET CLÔTURER LE DOSSIER.

À BIENTÔT, MAÎTRE.

TU DEVRAIS ARRÊTER DE RONGER TA PEAU COMME ÇA.

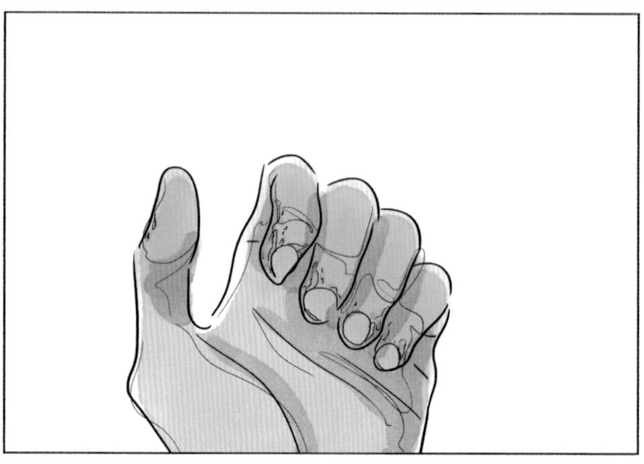

T'AS RAISON.

JE TE REMBOURSERAI TOUT, JUSQU'AU DERNIER SOUS.

T'OCCUPE PAS DE ÇA. ON VERRA BIEN.
SI JE TRAVAILLE COMME UNE MULE, C'EST BIEN POUR QUE ÇA SERVE À QUELQUE CHOSE.

QU'EST-CE QUE TU VAS FAIRE MAINTENANT ?
TU RESTES ENCORE UN PEU OU TU RENTRES À TON APPART ?

JE VAIS RENTRER.
J'AI ENVIE DE REPRENDRE LES COURS.

JE COMPRENDS.

SOIS PRUDENTE SUR LA ROUTE.
APPELLE-MOI QUAND TU ARRIVES.

CLIC!!!

CLIC

JEANNE MOREAU
j'ai la mémoire qui flanche

J'AI LA MÉMOIRE QUI FLANCHE,
J'ME SOUVIENS PLUS TRÈS BIEN...
LEQUEL DE NOUS DEUX S'EST LASSÉ
DE L'AUTRE LE PREMIER...

ÉTAIT-CE MOI, ÉTAIT-CE LUI,
ÉTAIT-CE DONC MOI OU LUI ?
TOUT CE QUE JE SAIS,
C'EST QUE DEPUIS,
JE NE SAIS PLUS QUI JE SUIS.

J'AI LA MÉMOIRE QUI FLANCHE,
J'ME SOUVIENS PLUS TRÈS BIEN...
VOILÀ QU'APRÈS TOUTES CES NUITS BLANCHES,
IL ME RESTE PLUS RIEN...

RIEN QU'UN P'TIT AIR QU'IL SIFFLOTAIT
CHAQUE JOUR EN SE RASANT...
PA DOU DI DOU DA DI DOU DI...

ROMO
2,50€

CYRA

CYRANO
DE BERGERAC
Carton plein à Avignon
pour la troupe du Cèdre

Alix Garin
sept 2018 / sept 2020
Bruxelles

Au cours de ces deux ans de réalisation, une foule de personnes m'a accompagnée, chacune à leur façon :
Mes parents, mes frères ;
Thomas et **Martin**, ainsi que toute la team Cartoonbase ;
Seb, Valentin, Julie, Étienne, Fanny, Antonine, Pauline, Alfred, Pierre Collin, Fifi Sadzot, Fred Hainaut, Elsa, Simon, Clément, Robin, pour leurs relectures et tout le reste...

Sébastien, ton soutien inconditionnel m'a donné des ailes.

Réaliser cet album en votre compagnie fut une partie de plaisir. Sans parler de l'équipe du Lombard, **Mathias, Élise, Perrine** et **Kevin** pour votre accompagnement sans faille, dans la bienveillance absolue.

Direction artistique :
Éric Laurin

Conception graphique :
Rebecca Rosen

Assistance lettrage :
Michel Brun

Cet album a été imprimé selon le label PEFC. Cela signifie qu'il est imprimé sur du papier issu de forêts durables, selon un système sûr et transparent qui permet de suivre le flux de bois depuis la forêt jusqu'au consommateur.

D/2021/0086/024
ISBN 978-2-8036-7623-1

R03/2021

Dépôt légal : janvier 2021
Achevé d'imprimer en mars 2021.
Imprimé et relié en France par PPO GRAPHIC,
Rue de la Croix Martre 10, 91120 Palaiseau.

LES ÉDITIONS DU LOMBARD
7, AVENUE PAUL-HENRI SPAAK
1060 BRUXELLES - BELGIQUE

WWW.LELOMBARD.COM